D1582982

Daten, Dromen & Dumpen

Natalie Standiford

# Daten
# Dromen
# & Dumpen

Vertaald door Aleid van Eekelen-Benders

Uitgeverij Van Praag
Amsterdam

© 2008  Uitgeverij Van Praag, Amsterdam
© 2005  Little, Brown and Company, New York
© 2008  Nederlandse vertaling Aleid van Eekelen-Benders /
RVP Publishers, Amsterdam

Oorspronkelijke titel Breaking up is really, really hard to do
Oorspronkelijke uitgave Little, Brown and Company, New York
Ontwerp omslag Alison Impey
Foto's omslag Hannes Hepp/Photonica, Henry Hanna/Iconica, Tony Anderson/Iconica, Emma Innocenti/Photonica, Dimitri Vervits/Photonica, LaCoppola & Meier/Photonica
Zetwerk Bruno Herfst
Druk Wöhrmann, Zutphen

ISBN 978 90 490 6622 2
NUR 284, 285, 302

www.uvp.nl
www.uvp.be

*Voor Nancy Williams*

# 1 De Vega King

Aan:  hollygolitely
Van:  Elke dag je horoscoop

Dit is je horoscoop voor vandaag: Steenbok: Alles wat je wilt ligt vlak voor je neus, maar die steek jij zo ver in de lucht dat je het niet ziet. Probeer eens op aarde terug te komen... lager... nog wat lager... Je zult echt beter je best moeten doen.

Het begon met een shirt, een knaloranje T-shirt. Die kleur alleen was al genoeg, al stond hij Rob Safran, met zijn warme olijfkleurige huid en zijn bruine ogen, beter dan Holly Anderson had mogen verwachten. Die kleur was het probleem niet. Het probleem was wat er op het shirt gedrukt stond.

ER IS NIKS MIS MET EEN STEEKJE LOS

'Sorry,' zei Holly, 'maar dat is niet grappig.'

'Het is maar een T-shirt,' zei Rob. 'Gewoon een geintje.'

'Kan wel zijn... maar als je iemand in je familie had die niet goed bij zijn hoofd was, zou je daar anders over denken,' zei Holly.

Rob keek geschrokken. 'Sorry... zit er bij jullie zo iemand in de familie?'

'Nou, niet dat ik weet,' zei Holly. 'Maar er zijn dagen dat mijn moeder in de buurt komt.'

Rob lachte, maar Holly meende het serieus. Van dat T-shirt in elk geval. Bij Rob thuis gaven ze elkaar bij elke verjaardag en na elke vakantie smakeloze T-shirts; het was een eeuwigdurende wedstrijd om met het meest ordi shirt aan te komen. Het leek wel of Rob er voor iedere dag van het jaar eentje had.

MIJN ALTER EGO IS EEN SUKKEL

LIFE SUCKS

IK KAN HET ME ZELFS NIET PERMITTEREN ARM TE ZIJN

enzovoort.

Soms kan ik niet geloven dat hij mijn vriend is, dacht Holly, en dat bedoelde ze zowel positief als negatief. Er waren dagen dat ze naar zijn sterke zwemmerslijf, zijn hoge jukbeenderen en zijn slordige bruine haar keek en dacht: hij is net een bruine teddybeer. Ik ben het gelukkigste meisje in Carlton Bay!

Maar er waren ook dagen dat ze steeds weer iets irritants aan hem ontdekte. Dat ze zich afvroeg of ze geen betere vriend kon vinden. Dat ze dacht: ik kan geen melig shirt meer zien.

Maar wat haar het meest aan Rob dwarszat was dat hij altijd toestemming vroeg om haar te zoenen. Als ik nog één keer 'Is 't goed als ik je zoen?' hoor, ga ik gillen, dacht ze.

Zo te merken was het vandaag ook weer zo'n dag. Holly lag languit op de bank in de serre en drukte haar voeten in Robs zij. Hij was naar haar toe gekomen om de zaterdagmiddag gewoon bij elkaar te zijn, geen plannen. Holly's ouders waren ergens op antiekjacht. Ze gingen graag naar antiek kijken, wat Holly maar raar vond omdat ze zelden iets kochten. Het huis van de Andersons was modern en ruim, en de meeste meubels waren nieuw.

Holly draaide haar lange, golvende blonde haar in elkaar en stak het boven op haar hoofd vast. Rob trok haar voeten op zijn schoot en kneep speels in haar tenen.

'Zullen we iets gaan doen?' zei hij. 'Heb je zin om iets te doen?'

'Best,' zei Holly. 'Waar heb jij zin in?'

'Weet ik niet,' zei Rob. 'Zeg jij het maar.'

Ze probeerde iets leuks te bedenken. 'We kunnen wel ergens wat gaan eten.'

Rob wreef haar voeten. 'Ja. Laten we ergens gaan lunchen. Als jij dat wilt.'

'Oké,' zei ze. 'Waar heb je trek in?'

Hij haalde zijn schouders op. 'Weet ik niet. Waar jij trek in hebt.'

Holly ging overeind zitten en trok haar voeten van zijn schoot af. Wat kon hij toch vaag zijn! Hij zei nooit wat hij wilde. Hij liet de beslissing altijd aan haar over. Waarom kon hij niet eens een keer kiezen waar ze gingen eten?

'Maakt niet uit wat?' vroeg ze.

'Nee, hoor.'

'Oké, dan weet ik de juiste plek.'

Ze stapten in haar gele VW Kever – die ze van haar ouders voor haar zestiende verjaardag had gekregen – en ze reed met hem naar een veganistisch café dat De Vega King heette. Alles zag eruit als vlees – en werd ook verondersteld zo te smaken – maar was in werkelijkheid bereid van tofoe, tarwegluten, tempé en andere vegetarische producten. Holly was geen vegetariër en Rob ook niet, maar omdat Rob haar altijd liet kiezen waar ze gingen eten, vond ze dat ze wel een geintje met hem mocht uithalen.

Toen hij het uithangbord zag hapte hij naar adem. 'Wou je hier gaan eten?'

'Ja. Als jij tenminste niet liever ergens anders heen wilt.' Ze wachtte, half in de hoop dat hij haar zou smeken om te draaien en naar de dichtstbijzijnde McDonald's te rijden.

'Ik? Nee hoor, dit is best.'

Ze bestelden Jammie Hammie Sandwiches en biologische appelsap. De nepham smaakte meer naar karton dan naar vlees. 'Is het lekker?' vroeg Holly nadat ze met moeite een hap had doorgeslikt.

Rob knikte. 'Mm-mm. Smaakt prima.'

Leugenaar, dacht ze, maar zelf was ze geen haar beter. 'Ja, heerlijk, hè? Ik krijg er zo'n gezond gevoel van.'

'Ik ook. Dit zou ik elke dag wel willen eten.'

Rob slikte weer een mondvol Jammie Hammie door. Holly haalde diep adem en wilde nog een hap nemen. Ze hield de sandwich voor haar mond, maar liet hem toen op haar bord vallen.

'Ik krijg geen hap van die troep meer weg,' zei ze.

Rob zette grote ogen op. 'Vind je het niet lekker? Maar jij wou hierheen.'

'Weet ik. Het was een stom geintje.'

Hij legde zijn sandwich ook neer. 'Een geintje? Dat snap ik niet.'

'Kom op, wegwezen hier.'

Hij grinnikte. 'Prima. Ik zou wel een burger lusten.'

'Ik ook.'

Ze legden geld op het tafeltje. Rob stond op en pakte haar vast. 'Is 't goed als ik je zoen?'

'Moet je Rebecca zien,' zei Holly. 'Ze zit zomaar koolhydraten te eten.'

Het was maandagmiddag en Holly zat met haar beste vriendinnen, Madison Markowitz en Lina Ozu, aan een picknicktafel voor de kantine toe te kijken hoe Rebecca Hulse en David Kim elkaar spaghetti voerden. Rebecca, mager, blond en bijdehand, was gewoonlijk nogal een ijskoningin, maar David scheen haar ontdooid te hebben. Ze maakte kirrende geluidjes en slurpte een vorkvol slierten naar binnen, zodat de tomatensaus op haar kin spetterde.

'David heeft Rebecca verweekt,' zei Holly.

'Heel even dacht ik dat ze niet cool meer was,' zei Mads. 'Maar toen had ik het door: ze heeft het begrip cool alleen maar een nieuwe betekenis gegeven. Ik snak er opeens naar een jongen beet te grijpen en vol spaghetti te smeren.'

Rebecca en David knabbelden op een lange sliert, allebei vanaf een ander uiteinde tot hun lippen elkaar in het midden raakten.

Holly had hen zelf bij elkaar gebracht. Met Mads en Lina samen was ze een website begonnen die De Dating Game heette, voor een schoolproject. Het was een enquête naar de seksuele opvattingen onder de leerlingen op hun school, Rosewood School voor Alternatief Onderwijs aan Begaafden, oftewel RSAOB. Op de site konden leerlingen hun profiel posten en er was een datingvragenlijst die zo populair was dat de meisjes zelfs nadat ze het project met een hoog cijfer hadden afgesloten, met de site doorgingen.

'David is een schatje,' zei Holly. 'Waarom was me dat nog nooit opgevallen?'

'Omdat jij Rob hebt,' zei Mads. 'Hij heeft je geblokkeerd voor andere jongens.'

'Nou, dat werkt anders niet meer,' zei Holly. Ze was benieuwd of David elke keer toestemming vroeg als hij een meisje wilde zoenen. En totnogtoe had ze hem nog nooit in een T-shirt gezien waarop stond: WORD BLOEDDONOR – GA OP IJSHOCKEY.

'Oké, Rob loopt af en toe in een stom T-shirt, nou en?' vroeg Lina.

'Ik weet het,' zei Holly. 'Er is vast iets mis met me. Maar ik kan er niks aan doen. Ik blijf me maar afvragen of Rob wel de ideale jongen voor me is. Je weet wel: is hij DE WARE?'

'Hoe weet je of een jongen "de ware" is?' vroeg Lina. 'Wat is daar de definitie van?'

'Dat voel je gewoon,' zei Mads.

'Maar wat voel je dan?' vroeg Holly.

'Ik weet niet,' zei Mads. 'Je bent zenuwachtig als hij in de buurt is.'

'Als je aan hem denkt gaat je hart sneller kloppen,' zei Lina. 'En je mond wordt droog als je iets tegen hem wilt zeggen.'

'Je krijgt zo'n raar gevoel in je buik en je hoofd, draaierig en blij tegelijk,' zei Mads.

'Je wordt misselijk, bedoel je,' zei Holly.

'Absoluut,' zei Lina.

'Daar merk ik allemaal niks van als Rob in de buurt is,' zei Holly. 'Niet meer tenminste.'

Mads en Lina zaten allebei met een hevige, onbeantwoorde verliefdheid op iemand die zo goed als onbereikbaar was. Lina was verliefd op Dan Shulman, hun leraar Interpersoonlijke Menselijke Ontwikkeling, en Mads was al kapot van Sean Benedetto, de hotste twaalfdeklasser van de hele school, sinds hij de eerste keer door haar blikveld paradeerde. Holly wist dat ze aan Dan en Sean dachten als ze het over 'de ware' hadden. Maar dat was niet wat zij wilde. Zij wilde niet naar iets onmogelijks verlangen. Zij wilde iemand die volmaakt bij haar paste.

'Dat zou een goed onderwerp voor een quiz zijn,' zei Mads. Op de site van de Dating Game stonden ook quizzen over allerlei onderwerpen, van 'Ben jij een sukkel?' tot 'Weet jij hoe je profielen op datingsites moet ontcijferen?'

'Holly!' gilde Autumn Nelson door het raam van de kantine. Ze kwam met haar glanzendbruine vlechten achter haar aan wapperend naar buiten rennen en plofte naast Holly op de bank. 'Wanneer regelen jullie nou eens een date voor mij? Ik heb jullie Dating Game-vragenlijst al weken geleden ingevuld.'

'Gauw, Autumn,' zei Holly. 'Sorry, we hadden een beetje een achterstand.'

'Nou, schiet dan maar op!' zei Autumn. 'Zet mij maar bovenaan op de lijst of zo. Nu Trent psychotisch is geworden moet ik een nieuwe jongen hebben.'

'Hoezo, "nu Trent psychotisch is geworden"?' vroeg Lina.

'Wie is Trent?' vroeg Mads.

'O, die eikel waar ik mee ging .' Autumn wuifde de vraag opzij. 'Om de een of andere stomme reden belt hij me niet meer. Eerst dacht ik dat hij misschien dood was, maar toen zag ik hem bij de haven. Dus toen dacht ik dat hij homo was, maar uiteindelijk begreep ik dat hij gewoon gek geworden moest zijn. Want anders zou je iemand als ik toch nooit laten zitten?' Ze wuifde met haar hand langs haar lichaam alsof haar verrukkelijkheid voor zichzelf sprak. 'Daarvoor zou je toch lijm gesnoven moeten hebben of zo? Maar goed, vergeet hem maar. Help me aan een nieuwe vriend! Ik ben het zat te zitten wachten tot jullie eens van jullie luie krent komen, stelletje losers!' Ze draaide zich om en verdween naar binnen.

Mads' mond viel open. 'Alleen daarom al voel ik er niks voor haar te helpen.'

'We moeten wel,' zei Holly. 'Als we het niet doen, maakt ze ons online af, en dan vertrouwt niemand onze datingservice meer. Dan sterft De Dating Game een langzame, pijnlijke dood.'

Autumn zette alles wat ze dacht, voelde en deed op haar blog, Nuclear Autumn. Iedereen op school las hem. Dat gaf haar veel macht; niemand kon het zich permitteren Autumn dwars te zitten, want dan liep je het risico door haar afgemaakt te worden. En op dat moment was De Dating Game – met alle roddels, stelletjes en gespreksstof die hij opleverde – er verantwoordelijk voor dat Holly, Mads en Lina zeker twintig procent in populariteit waren gestegen.

'Wat moeten we doen?' vroeg Lina. 'Er wil vast niemand met haar uit. Ze is veel te egocentrisch.'

Heb ik daar ook last van, vroeg Holly zich af. Of is Rob gewoon niet 'de ware'? Hoe kom ik daarachter?

# 2 Diepzinnig of dwaas

Aan:  mad4u
Van:  Elke dag je horoscoop

Dit is je horoscoop voor vandaag: Maagd: Je denkt dat je weet wat je wilt, Maagd, maar je vergist je. Hou op met proberen zelf te denken en luister voor de verandering eens naar mij!

'Daar gaat hij,' zei Mads. 'Mijn muze.' Haar ogen volgden Sean Benedetto, die soepel over het schoolplein liep. Het was een warme dinsdagmiddag en ze zat na de les met Holly en Lina op het gras. De lange, atletische Sean met zijn warrige blonde haar was Mads' grote liefde. En op dat moment de inspiratie voor haar kunst.

De jaarlijkse RSAOB Kunstexpo naderde en Mads had een groots project bedacht. Ze ging pastelportretten maken van haar vriendinnen, familie, kennissen en misschien zelfs huisdieren, met een portret van Sean als middelpunt. Hij was zo knap dat het niet mis kon gaan. Zelfs met een slecht portret van hem zou ze wel eens een prijs kunnen winnen.

'Kom ik ook in je project?' vroeg Lina.

'Absoluut,' zei Mads. 'En Holly ook. En raad eens? Na de expo mag ik van mijn ouders een feest geven. Als feestelijke afsluiting. En ik mag zelf weten hoeveel mensen ik uitnodig.'

'Prachtig,' zei Holly.

'Het enige is, er zijn misschien ook leraren bij,' zei Mads. 'Die stomme ouders van me dachten dat het wel aardig zou zijn er een paar uit te nodigen zodat het meer een schoolfeest wordt.'

'Geeft niet,' zei Holly. 'Dan weet je tenminste zeker dat Lina ook komt.'

'Hé!' Lina gooide een pen naar haar.

'Wanneer mogen we dat profiel zien?' vroeg Mads. Lina had ontdekt dat Dan Shulman zijn profiel op een datingwebsite had gezet. Mads kon niet wachten om het te zien. In tegenstelling tot Lina kon zij zich Dan haast niet voorstellen als iemand die een date zocht.

'Kom vanavond maar naar mij toe,' zei Lina. 'Dan kunnen jullie me helpen te verzinnen wat ik hem zal schrijven.'

'Ga je er dan op reageren?' vroeg Mads.

'Onder een valse naam,' zei Lina.

'Duivels plan,' zei Holly. 'Dat kan leuk worden.'

'Het klinkt als iets wat ik zou doen.' Mads zuchtte. 'Wat denken jullie, zou Sean komen als ik hem vraag?' Ze was nog met haar gedachten bij haar feest. Als Sean maar kwam, dacht ze, dan zou het pas echt geweldig zijn. Alleen al omdat dat voor alle coole mensen op school reden zou zijn om ook te komen. En verder, als hij op haar feest kwam wilde dat zeggen dat hij haar genoeg de moeite waard vond om bij haar thuis te komen. En dat was weer een stapje dichter bij haar leuk vinden.

Holly haalde haar schouders op. 'Er is maar één manier om daarachter te komen.'

Mads stond op. 'Ik moet eens naar het tekenlokaal. Ik ben aan een portret van Kapitein Mauw-Mauw bezig. Het lukt me niet goed zijn gevoel voor humor op papier vast te leggen.' Kapitein Mauw-Mauw was haar siamese kat.

'Heeft Kapitein Mauw-Mauw dan gevoel voor humor?' vroeg Lina.

'Natuurlijk,' zei Mads. 'Als hij kon praten zou hij Jerry Seinfeld zijn.'

'Gut, daar heb ik nog nooit iets van gemerkt,' zei Holly.

'Dan zie ik je vanavond wel bij mij thuis,' zei Lina.

'Tot dan.' Mads liep het schoolgebouw in en de trap op naar de tweede verdieping. Het tekenlokaal was leeg. De late middagzon scheen door de bovenlichten. Mads ging aan een tafel zitten en haalde een foto van Kapitein Mauw-Mauw te voorschijn, die ze met haar nieuwe digitale camera had genomen. Ze had hem in haar favoriete kattenhouding vastgelegd: languit op haar bed met zijn poten vreemd recht uitgestrekt. Ze pakte wat pastelkrijt en ging aan de slag.

Ze was zo geconcentreerd bezig dat ze alles om zich heen vergat. Toen er iemand achter haar kwam staan en vroeg: 'Wat is dat, een aap?' vloog ze een meter de lucht in.

Ze keek om. Een lange jongen met steil bruin haar en een pony keek op haar neer. 'Sorry,' zei hij. 'Ik wou je niet aan het schrikken maken.' Hij droeg een zwart T-shirt waar hij scheuren in had gemaakt die hij weer had dichtgemaakt met veiligheidsspelden. Op de voorkant had hij in DayGlo geelgroen een ster met een X eroverheen geschilderd.

'Het is geen aap maar een siamese kat,' zei Mads. 'Kijk maar.' Ze liet hem de foto zien die ze probeerde na te tekenen.

'Hoe heet ze?' vroeg de jongen.

'Hij,' zei Mads. 'Het is een mannetje. Kapitein Mauw-Mauw.'

De jongen lachte. 'En hoe heet jij, Sergeant La-La?'

'Dat zou cool zijn,' zei Mads. 'Maar nee, ik heet Madison.'

'Madison Markowitz? Van De Dating Game? Ik ben Stephen Costello. Een grote fan. Enorme fan.'

'Dank je.' Mads voelde haar gezicht warm worden van blijheid en verlegenheid. Ze knikte naar zijn T-shirt. 'Heb je iets tegen sterren?'

Hij trok het shirt van zijn lichaam vandaan om de doorgekruiste ster beter te kunnen zien. 'Nee. Ik vond het gewoon wel cool zo. Nou, ik zal je verder niet storen. Ben je met iets voor de Kunstexpo bezig?'

Mads knikte. 'Portretten. In pastel. En jij?'

Hij liep het lokaal door naar een tekentafel en kwam terug met een handvol schetsen, die hij voor haar uitspreidde. Het leken wel ontwerpen voor een toneeldecor. 'Ik maak een driedimensionale opstelling. Het wordt een jongenskamer. Ik maak er replica's in van alles wat een tiener zou kunnen hebben: posters, boeken, video's, games, cd's, tijdschriften, kleren, een computer... al die troep.'

'Cool, zeg,' zei Mads. 'Maar wel een hoop werk.'

'Klopt, maar dat heb ik er wel voor over. Ik wil graag een statement maken over tienercultuur en popcultuur in het algemeen.'

'Wat voor statement?' vroeg Mads.

'Nou, die kan nog veranderen terwijl ik met het project bezig ben. Maar op dit moment gaat hij over rommel. Dat de popcultuur ons hoofd zo vol rommel propt dat we niet meer helder kunnen denken en zelfs niet meer weten wat we nu echt belangrijk vinden.'

Wauw, dacht Mads, die is diepzinnig. Zo diepzinnig dat ze het een beetje eng vond om met hem te praten.

Ze bekeek zijn schetsen wat beter. Er waren drie wanden van karton op te zien, ruim twee meter hoog en wit geverfd, met in een van de wanden een raam uitgesneden. De kamer zou worden ingericht met kartonnen meubels die hij zelf wilde bouwen. 'En ik ga een kleed op de vloer schilderen en zo,' zei hij.

'Het is net een reusachtig poppenhuis,' zei Mads.

'Hier zet ik een videomonitor neer.' Hij wees naar een getekende plank met een tv. 'En daar laat ik dan onafgebroken beelden uit commercials en video's en zo op zien.'

'Je wint er vast en zeker een prijs mee,' zei Mads. 'Verder is er niemand die zoiets doet.' Ze bekeek hem eens goed om erachter te komen waar al die artistieke ambitie vandaan kwam. Hij was dun en had een onopvallend gezicht, maar er sprak zo veel zelfvertrouwen uit zijn houding en zo veel intelligentie uit zijn ogen dat hij opvallend en bijna knap leek.

'In welke klas zit je?' vroeg ze.

'In de elfde,' zei hij. 'We zijn vorig jaar vanuit Londen hierheen verhuisd.'

'Maar je hebt geen Brits accent.'

'Ik ben ook niet Brits. We hebben er maar drie jaar gewoond. Daarvóór woonden we in New York.'

'Wat zul jij dan veel boeiende dingen hebben meegemaakt,' zei Mads.

'Dat zou je kunnen zeggen,' zei hij. 'Maar eigenlijk maakt het niet uit waar je woont. Volgens Werner schuilt het ware avontuur van je leven in je hoofd en in je dromen.'

'Wie is Werner?' vroeg Mads, maar daar had ze meteen spijt van. Stel je voor dat Werner ontzettend beroemd was, iemand waar iedereen van gehoord moest hebben, zoals Shakespeare? Stel je voor dat ze iets stoms had gezegd?

'Dat is een Duitse filosoof. Hij heeft een boek geschreven dat *De Lege Wereld* heet. Dat mag je wel van me lenen als je wilt.'

'Bedankt.' Hij zei het niet alsof hij haar voor een idioot aanzag, waar ze blij om was.

'Hoe dan ook, in Londen kende ik massa's mensen die zich altijd verveelden, ook al was er altijd zo veel interessants te doen.'

'Ik woon al vanaf mijn derde in Carlton Bay,' zei Mads. 'Ze zeggen dat hier nooit iets gebeurt, maar dan letten ze niet goed op. Een paar weken geleden nog, toen was ik op een feest in een heel elegant huis...' Ze dacht aan het statige huis waar Sean woonde, dat was écht elegant, zo uitgekiend als het daar ingericht was. 'We waren allemaal screwdrivers aan het drinken, al waren er natuurlijk ook een paar die zo nodig bier moesten hebben, en Alex, een jongen uit de twaalfde, vroeg of ik hem mijn levensverhaal wilde vertellen. Goed, ik deed mijn ogen dicht en dacht: wat een vraag. Wat ís mijn levensverhaal? Waar gaat het eigenlijk om in het leven? Van alleen het nadenken daarover werd ik al zo duizelig dat ik bijna ter plekke moest overgeven!'

Er zaten wel elementen van waarheid in dit verhaal, maar Mads had er een filosofische draai aan gegeven die er tot dan toe aan had ontbroken. Ze was echt op een feest geweest, Alex had haar echt gevraagd haar levensverhaal te vertellen en het had echt niet veel gescheeld of ze had ter plekke overgegeven. Maar niet als gevolg van existentiële misselijkheid. Eerder van te veel screwdrivers. Dat overgeven vond enkele minuten later plaats, in de slaapkamer van Seans moeder. Mads besloot Stephen die onnodige details te besparen.

'Wauw,' zei Stephen. 'Jij hebt je eerste existentiële crisis al achter de rug. Je bent er wel vroeg bij.'

'Dank je.' Mads straalde. 'Voor mijn leeftijd ben ik al best een vrouw van de wereld. Eerst nog niet, hoor, maar dit jaar overkomt me zomaar opeens van alles. Er is een jongen die waanzinnig verliefd op me was, hij had zelfs een gedicht over me geschreven. Heb je dat gezien? Hij had het in de bibliotheek op het prikbord gehangen.'

'Dat heb ik zeker gemist,' zei Stephen.

De jongen die Mads beschreef – bijgenaamd Getver Gilbert – was pas twaalf, zat in de negende klas en liep af en toe in een cape rond. Ook die details kon Stephen maar beter niet horen. 'Hij wilde te veel van me. Ik ben er nog niet aan toe mijn hele zelf op te geven, mijn hart en ziel. Ik breek niet graag iemands hart, maar wat moet ik anders?'

Stephen verzamelde zijn schetsen en schudde zijn hoofd. 'Zo te horen breng jij niets dan ellende, Madison. Ik kan beter bij je uit de buurt blijven.'

Ze lachte. 'Je mag wel Mads zeggen. Zo noemen al mijn vrienden en vriendinnen me.'

'Mads. De ideale naam voor een waanzinnige vrouw als jij. En dat bedoel ik als compliment.'

'Dank je. Mijn vader zegt ook al dat mijn hoofd zijn geheel eigen logica heeft.'

'Mijn moeder noemt mij Sint Stephen de Serieuze. Zo gauw je me wat beter kent, wil ik graag van je horen of jij vindt dat dat klopt.'

'Wil je graag dat het klopt?'

'Nee.' Hij ging aan een tafel vlak bij haar zitten en spreidde zijn schetsen uit, zodat hij ze kon bestuderen. Hij pakte een potlood en begon te tekenen. Een paar minuten was het stil. Toen stopte hij met tekenen, zijn haar hing voor zijn ogen, en hij vroeg: 'Vertel je het? Beloof je me de waarheid te vertellen?'

'Ja, dat zal ik doen. Dat beloof ik.'

Mads was bang dat Stephens moeder zo op het eerste gezicht gelijk had. Maar wat was er zo vreselijk aan om serieus te zijn? Zij vond het eigenlijk wel iets hebben.

# 3 Larissa komt tot leven

Aan:   linaonme
Van:   Elke dag je horoscoop

Dit is je horoscoop voor vandaag: Kreeft: Vandaag komt er een nieuwe kant van je naar buiten. Dat werd tijd, iedereen begon genoeg te krijgen van je oude eenzijdige persoonlijkheid.

'Kijk,' zei Lina. 'Hij heeft zijn profiel veranderd!'

Holly en Mads zaten na het avondeten bij haar op haar kamer. Lina liet hun een profiel zien op een datingsite die De Lijst heette. Volgens de screennaam ging het om 'beauregard' maar op de foto waren de blauwe ogen en het oprechte gezicht van hun leraar IMO Dan Shulman te zien. Vanaf het moment dat ze zijn profiel had ontdekt was Lina al bezig alle details uit te pluizen. Wat zocht hij? Wat voor geheimen had hij? Steeds als hij iets veranderde, piekerde zij erover wat dat zou kunnen betekenen.

Lina was al het hele schooljaar tot over haar oren verliefd op Dan, en dat gevoel werd elke dag sterker. Mads en Holly wisten er natuurlijk van, maar zij beseften niet hoe hevig die verliefdheid was. En dat kon Lina hun ook niet vertellen. Dat was privé.

'Laat dat profiel eens lezen,' zei Mads.

**Man zoekt vrouw**
Beauregard

**ID nr:** 5344474
**Leeftijd:** 25
**Beroep:** leraar
**Laatste geweldige boek dat ik heb gelezen:** *Dubliners*, door James Joyce. Die laatste regel van 'The Dead' grijpt me elke keer weer aan.

**Gênantste moment van mijn leven:** in de derde klas, toen mijn zusje aan iedereen op school verklapte dat ik nog met mijn knuffeldekentje sliep.

**Beroemdheid op wie ik het meest lijk:** volgens sommige mensen Tobey Maguire, maar eigenlijk lijk ik helemaal niet op een beroemdheid.

**Als ik op dit moment waar ook ter wereld mocht zijn:** aan het zeilen voor de kust van Californië.

**Song of album waarvan ik in de stemming kom:** *Get the Party Started* van Pink; alles van Elliott Smith of The Velvet Underground.

**Favoriete seksscène in een film:** stinkdier Pepe Le Pew uit die tekenfilms, met dat vrouwtjesstinkdier dat verliefd op hem is, en al die hartjes eromheen.

**Beste of slechtste leugen die ik ooit heb verteld:** toen mijn zusje vroeg of ik haar nieuwe vriend aardig vond en ik ja zei, omdat ik aardig wilde zijn. Nu zijn ze getrouwd en heb ik een zielloze handelaar in gebakken lucht als zwager.

**De vijf dingen die ik nooit zou kunnen missen:** pindakoekjes, mijn woordenboek, een zakmes, mijn fiets, lipbalsem… en ik ben dol op walnoten, maar daar ben ik allergisch voor.

**In mijn slaapkamer vind je:** mijn bed, boeken, werkstukken die ik allang nagekeken had moeten hebben, oude foto's, schriften vol onafgemaakte verhalen en losse aantekeningen, vuile sokken, een rekje met oude dassen, drie hoeden op een plank, een gitaar.

**Waarom je mij zou moeten leren kennen:** ik probeer altijd het goede te doen. Ik bedoel dat ik daar echt over nadenk. Ik ben heel geduldig, behalve tegenover mijn zusje, de enige die mij op de kast kan krijgen (als je dat soms nog niet doorhad). Ik ken massa's scrabblewoorden van twee letters. Ik zou je dolgraag eens meenemen naar een wedstrijd. Mijn bosbessentaart is onovertroffen.

**Waarnaar ik op zoek ben:** een vriendin die ik kan bellen als ik opeens zin krijg om iets te ondernemen. Iemand die van mijn kookkunst geniet. Een niet al te veeleisend, niet materialistisch meisje met gevoel voor humor. Een sexy boekenwurm.

Dat ben ik, dacht Lina, een sexy boekenwurm. Nou ja, zo sexy was ze misschien niet, maar een boekenwurm beslist wel. Elke keer dat ze zijn profiel las werd haar verliefdheid een stukje groter. Zij was het meisje dat hij zocht. Alleen wist hij dat nog niet.

Mads en Holly kwamen niet meer bij. 'Een sexy boekenwurm!' gilde Mads.

'Ik vind dat stukje het leukste waar hij zegt dat hij met je naar een wedstrijd wil,' zei Holly.

'Hij slaapt nog met zijn knuffeldekentje!' zei Mads.

'Niet waar,' zei Lina. 'Dat was in de derde klas.'

'Maar toch,' zei Mads. 'Hij is nog duffer dan ik dacht.'

Lina deed maar geen moeite aan te wijzen wat zij het belangrijkste vond: de wijziging die hij in zijn profiel had aangebracht. Hij had bij 'Laatste geweldige boek dat ik heb gelezen' *Great Expectations* van Dickens vervangen door *Dubliners* van James Joyce. Ze hadden dat jaar bij Engels *Portrait of the Artist as a Young Man* van Joyce gelezen. Lina had genoten van zijn vreemde, poëtische taal.

'Haast niet te geloven dat hij van Pink houdt,' zei Mads lachend. 'Zie je het al voor je, hoe hij 's avonds zijn kamer rond danst op *Get the Party Started?*'

Holly en Mads begonnen te dansen en te zingen: 'I-I-I-I'm comin' up so you better get the party started.' Giechelend vielen ze op Lina's bed neer, en Lina moest wel meelachen, of ze wilde of niet. Het betekende veel voor haar, maar tegelijkertijd wist ze dat het maf was.

'Heeft Ramona het profiel al gezien?' vroeg Holly. 'Die draait vast helemaal door. Dit levert genoeg stof voor een jaar aan sekte-bijeenkomsten.'

'Ik geloof niet dat ze ervan afweet,' zei Lina. 'En ik ga het haar niet vertellen.'

'Goed geredeneerd,' zei Mads. 'Straks lokt ze hem nog weg door haar haar knalroze te verven.'

Ramona Fernandez was ook verliefd op Dan. Ze was een overtuigde goth zonder enig schaamtegevoel, wat Lina tot waanzin dreef. Lina was weg van de kleding die Dan droeg: pakken van begin jaren zestig, smalle vintage dassen en af en toe een hoed. Maar Ramona en haar vriendinnen gingen nog een stapje verder in hun bewondering, in de verkeerde richting, vond Lina. Ze droegen allemaal net zo'n smalle das als Dan en noemden zichzelf de Dan Shulman-sekte. Om je dood te schamen. Naarmate Lina Ramona wat beter leerde kennen vond ze haar eigenlijk best aardig. Ramona begreep een kant van Lina die haar andere vriendinnen nooit echt zagen. Maar dan deed Ramona weer iets waarvoor je je rot schaamde, in de klas bij Dan slijmen of zo, en dan liepen Lina de rillingen over de rug. Ze hoopte dat zij nooit zo overkwam als Ramona.

'Wanneer ga je hem nou terugschrijven?' vroeg Mads. 'Mag ik helpen? "Beauregard, mijn schat. Net als jij ben ik een fan van Pepe Le Pew. Dat grappige Franse accent van hem, die witte streep op zijn rug, zijn verleidelijke *odeur*, dat alles bij elkaar betekent voor mij Romantiek met een hoofdletter R."' Holly en zij giechelden weer.

'Heel geestig,' zei Lina. 'Je bent te laat. Ik heb al iets geschreven. Niet dat ik het jou anders zou laten doen.'

Ze haalde een mail op uit haar map Concepten. Ze zat er al dagenlang op te zweten, om hem precies goed van toon te krijgen. 'Wat vind je?'

Beste Beauregard,
Ik vond je beschrijving van jezelf intrigerend. Ik heb nog nooit op zo'n profiel gereageerd of iets als dit gedaan. Ik ben 22 jaar en studeer film. Ik hou veel van lezen en ben een verschrikkelijk

slechte kok, maar ik ben dol op bosbessentaart, pindakoekjes, scrabble en James Joyce. Als je tijd hebt om me terug te schrijven, zou ik het leuk vinden van je te horen. Als je opeens zin krijgt om iets te ondernemen, doe ik meteen mee.

Larissa

'Lang niet zo grappig als het bij mij zou zijn geworden,' zei Mads.

'Wie is Larissa?'

'Die heb ik verzonnen,' zei Lina. 'Ik kan moeilijk mijn echte naam gebruiken, want dan zou hij door kunnen krijgen dat ik het ben.' Ze had de naam Larissa gekozen omdat hij met een L begon, net als Lina, en omdat hij een romantische, exotische klank had waarvan ze dacht dat hij Dan wel zou aanspreken.

'Waarom is Larissa een filmstudente?' vroeg Holly.

Lina haalde haar schouders op. 'Ik heb geprobeerd iets te bedenken dat ik makkelijk kon faken. Als ik organische scheikunde had gezegd, zou hij vrij gauw doorkrijgen dat ik loog. Maar ik ga naar de film, dus daar kan ik me geen buil aan vallen. Volgens mij kan ik best doen alsof ik film studeer.'

'Denk eens even na,' zei Mads. 'Wat we niet allemaal te weten kunnen komen als hij terugschrijft! Jij kunt hem vragen of hij lievelingsleerlingen heeft of dat hij misschien wel de pest aan ons heeft! We kunnen erachter komen wat hij na school doet. Misschien heeft hij wel een geheim dubbelleven als punkrocker... of als travestiet!'

'Hij is heus geen travestiet, hoor,' zei Lina.

'Stuur die mail maar, Lina,' zei Holly. 'Eens kijken wat er gebeurt.'

'Nu? Moet ik het nu doen?' Lina was opeens zenuwachtig.

Ze aarzelde. De vorige keer dat ze zoiets hadden gedaan was het op een ramp uitgelopen. Ze hadden een liefdesquiz gedaan en overal rare sexy antwoorden op gegeven, met 'Boezembabe Holly' ondertekend en hem toen naar Rebecca Hulse doorgestuurd. De quiz ging de hele school door en iedereen ging Holly pesten door haar 'de Boezembabe' te noemen. Goed, dát had hen toen op het idee voor De Dating Game gebracht, wat weer tot een heleboel andere dingen had geleid, goede en slechte... Dus was het nu uiteindelijk wel of niet goed dat ze die quiz hadden doorgestuurd? Lina wist het niet. Het was veel te ingewikkeld.

'Maar als mijn mailtje nu nog niet perfect is?' zei Lina. 'Ik kan vast nog wel een beter schrijven...'

'Als je wilt wachten tot het perfect is, verstuur je het nooit,' zei Holly. 'Het is prima. Stuur nou maar!'

'Over een week zitten we ons kapot te lachen om zijn travestie-neigingen,' voorspelde Mads. 'Voor pumps moet hij maat drieën-veertig hebben, wacht maar af.'

Lina deed of ze haar niet hoorde. 'Oké, daar gaat-ie dan.' Ze drukte op 'verzenden' en 'Larissa' kwam tot leven.

# 4 Nuclear Autumn

Aan:  hollygolitely
Van:  Elke dag je horoscoop

Dit is je horoscoop voor vandaag: Steenbok: Vandaag schaam je je kapot voor je ouders. (Altijd goed, deze – hij gaat voor elk sterrenbeeld op, elke dag van het jaar.)

'Autumn is oncombineerbaar!' klaagde Mads. Holly had Mads en Lina die vrijdag op bezoek om aan de datingservice te werken. Kandidaat nummer 1: Autumn Nelson.

'Niemand is oncombineerbaar,' verkondigde Holly. Ze keek er zelf van op dat ze dat zei. Ze wist niet eens of ze het eigenlijk wel geloofde.

'Autumn wel,' zei Lina. 'Al was het maar omdat ze haar hele leven tot in de kleinste details op Nuclear Autumn beschrijft.' Daarbij hield Autumn zich niet in: ze raasde en tierde, ze beledigde mensen, ze had driftbuien. 'Welke jongen wil nou dat alle bijzonderheden van zijn liefdesleven openbaar gemaakt worden?'

'En ze doet altijd zo hysterisch,' zei Mads. 'Ze krijgt al een beroerte als ze een wimper verliest.'

'Maar knap is ze wel,' zei Holly.

'Dat wordt totaal tenietgedaan door haar persoonlijkheid,' zei Lina. 'Jongens moeten niks van haar hebben. Ze vreet veel te veel aandacht.'

'Maar ja, we hebben niet veel keus,' zei Holly. 'Lees dit maar eens.' Ze logde in op Nuclear Autumn.

'Dit?' vroeg Mads. Ze las hardop en met een zeurderige Autumnstem voor. '"Het aanstaande stiefmonster heeft het weer voor elkaar. Ze moet altijd haar zin hebben. Alleen omdat zíj jarig is en háár ouders op bezoek zijn moeten we die zelfgemaakte lasagne van die dikke moeder van haar eten? Hallo ja? Er zit *aubergine* in. Ik vind aubergine smerig! Egoïstischer kan ze toch niet worden?"'

'Nee, dat niet,' zei Holly. 'Iets lager.'

Waarom is iedereen zo vol van die stomme Dating Game? Of kan ik het beter De Waiting Game noemen? Die meiden hebben geen idee wat ze aan het doen zijn! Ik heb ze al drie weken geleden gevraagd een date voor me te vinden, maar heb ik al iets van die bitches gehoord? Nee! Als ze zulke liefdesexperts en zulke geweldige koppelaarsters zijn, waarom duurt het dan zo lang? Een makkelijker iemand dan mij zullen ze niet gauw vinden! Ik wil een jongen die een superschatje is, slim, populair, sportief, geestig, aardig – heb ik al gezegd dat het een schatje moet zijn? Meer vraag ik niet. Als die losers niet eens een date kunnen vinden voor iemand als ik, dan is die hele site volgens mij nep! Boycot De Dating Game!

'Au,' zei Lina.

'Wat een kreng is het toch,' zei Mads. 'Haar kont is het gras, en ik ben de grasmaaier.' Ze nam een karatehouding aan om te laten zien dat het haar menens was.

'Daar hebben we nou geen tijd voor,' zei Holly. 'We moeten een date voor haar vinden vóór ze onze reputatie helemaal om zeep helpt.'

Ze namen de vragenlijsten van de beschikbare jongens door. 'Wie wordt ons slachtoffer?' vroeg Lina.

'Ik doe het ze geen van allen graag aan,' zei Holly.

De meeste kandidaten gebruikten een screennaam, maar enkelen gaven hun echte naam en stuurden zelfs een foto van zichzelf mee. Holly zoomde in op een jongen die ze van het scheikundepracticum van het vorige jaar herkende, al kende ze hem niet goed: Vince Overbeck. Hij had een kalm gezicht en zag eruit of hij niet snel van zijn stuk werd gebracht. Hij deed aan worstelen, een rustige, uitermate gedisciplineerde jongen. Kortom: heel anders dan Autumn.

'Wat vinden jullie hiervan?' vroeg ze.

'Vince Overbeck? Wie is dat?' vroeg Mads.

'Die zat vorig jaar bij mij in de klas bij wiskunde,' zei Lina. 'Rustige jongen. Zo iemand waar je niks van merkt. Hij deed in de les nooit een mond open, maar hij had wel een negen. Ontzettend intelligent.'

'Dat klinkt niet best, Holly,' zei Mads. 'Autumn verslindt hem levend!'

'Dat weet ik nog zo net niet,' zei Holly. 'Misschien is Vince juist precies wat ze nodig heeft: een rustige, aardige jongen, die wel wat opschudding in zijn leven kan gebruiken. Misschien vindt hij dat dramatische gedoe wel leuk.'

Lina en Mads staarden haar aan, ze waren niet overtuigd.

'Weten jullie dan iets beters?'

'Nee,' gaf Mads toe. 'Maar ben jij opgewassen tegen de gevolgen? Wat gebeurt er als we de botten van die arme Vince in Autumns kluisje vinden, helemaal kaalgekloven?'

'Dat gebeurt niet,' zei Holly, maar ze klonk overtuigder dan ze zich voelde.

## Quiz: Ben jij een hysterische aanstelster?

Noemen je vriendinnen je achter je rug Miss Driftkikker? Doe deze quiz om erachter te komen of je makkelijk in de omgang bent of juist te snel op je tenen getrapt.

1 **Onderweg naar school breek je een nagel. Jij:**
   A   merkt het niet.
   B   gaat bij een nagelstudio langs om hem te laten repareren; de dagopening kan wel wachten.
   C   gaat stil zitten snikken.
   D   schreeuwt moord en brand.

2 **Je beste vriendin gaat zonder jou naar een feestje. Jij:**
  A   hoopt dat ze een leuke avond heeft.
  B   neemt je voor haar binnenkort net zo'n streek te leveren.
  C   gaat stil zitten snikken.
  D   dreigt je polsen door te snijden met een nagelvijl.

3 **Je kleine zusje heeft de laatste Oreo opgegeten (en dat zijn jouw lievelingskoekjes). Jij:**
  A   bedenkt schouderophalend dat jij er een andere keer wel een paar krijgt.
  B   verklikt haar aan je moeder.
  C   gaat stil zitten snikken.
  D   gijzelt haar liefste pop tot iemand het gevraagde losgeld in Oreo's betaalt.

4 **Je haalt een onvoldoende voor een proefwerk omdat je hebt gefeest in plaats van geleerd. Jij:**
  A   neemt je heilig voor volgende keer een hoger cijfer te halen.
  B   vraagt om een herkansing.
  C   gaat stil zitten snikken.
  D   dreigt de school een proces aan te doen vanwege discriminatie van gehandicapten, d.w.z. mensen met een overactief sociaal leven.

5 **Je komt op een feest en een ander meisje heeft dezelfde jurk aan als jij. Jij:**
  A   ziet er de humor wel van in.
  B   gaat naar huis om iets anders aan te trekken.
  C   gaat stil zitten snikken.
  D   duwt haar in het zwembad.

**6 Je vriend zegt dat hij de sweater die je aanhebt niet mooi vindt. Jij:**

A   zegt dat jij hem wel mooi vindt en daar gaat het maar om.

B   trekt hem onmiddellijk uit.

C   gaat stil zitten snikken.

D   knipt hem in kleine stukjes die je volsmeert met nepbloed en dan naar hem opstuurt.

Als je vooral A's hebt aangekruist, ben je een **NUCHTER FIGUUR**, niet gauw van je stuk gebracht. Er zit jou niet snel iets dwars omdat je weet waar je prioriteiten liggen. Tuurlijk, je vriendinnen noemen je achter je rug een ijskonijn, maar zelfs daar trek je je niets van aan.

Als je vooral B's hebt aangekruist, ben je een **PROBLEEMOPLOSSER**. Als er iets mis gaat probeer jij het te verhelpen, of het de moeite waard is of niet.

Als je vooral C's hebt aangekruist, ben je een **STILLE SNIKKER**. Je bent dan wel geen hysterische aanstelster, maar dit is nog ernstiger. Denk eens aan antidepressiva of therapie.

Als je vooral D's hebt aangekruist, mag je nu die driftaanval krijgen want je bent een **HYSTERISCHE AANSTELSTER**. Welgefeliciteerd, Miss Driftkikker!


'Rob! Leuk om jou weer eens te zien.' Zo begroette Holly's moeder, Eugenia, Rob bij de voordeur van de familie Anderson. Holly hing achter haar rond in de hoop Rob mee te kapen en te ontsnappen. Het was vrijdagavond. De Andersons gaven een cocktailparty en hadden gezegd dat Holly Rob even binnen moest vragen als hij haar die avond kwam halen om naar de bioscoop te gaan. Godzijdank had Rob niet zo'n T-shirt aan maar droeg hij een pasgestreken wit overhemd en een kaki broek. Holly's moeder, een dunne opvallende brunette, droeg een lange zijden kaftan en Holly had een feestjurk aan van witte katoen die met gele ananasjes bedrukt was.

'Hallo, mevrouw Anderson.' Rob gaf haar een hand.

'Ik heb het toch al vaker gezegd, zeg maar Jen,' zei Eugenia. Holly's ouders stonden erop bij hun voornaam genoemd te worden, Jen en Curt (afkorting van Curtis), zelfs door hun eigen dochters. 'Wat zie je er mooi uit! Kom binnen. Ik zal Holly roepen.'

'Ik ben er al,' zei Holly.

'Hoi Holly.' Hij maakte een beweging in haar richting alsof hij haar een zoen wilde geven, maar hield toen in, waarschijnlijk omdat haar moeder erbij stond.

'O, vooruit, geef haar maar een zoen, dat is best,' zei Jen.

Rob keek onzeker naar Holly, die zei: 'Straks misschien, Jen. Kom op, Rob, kom Curt even gedag zeggen.' Ze pakte zijn hand en trok hem mee de uitgestrekte woonkamer in, die vol lachende, pratende volwassenen was. IJs tinkelde in hun glazen terwijl ze op hapjes knabbelden. De woonkamer, die het grootste deel van de begane grond in beslag nam, had houten balken en een schuin plafond als een chic wintersportchalet.

'Hé, Rob!' zei Curt warm, terwijl hij Rob een hand gaf. 'Hoe gaat het, makker?' Hij was een lange man met brede schouders, dunner wordende blonde krullen, een verweerd gezicht en een beginnend buikje. Hij droeg een blauwe blazer en een lichtgroen poloshirt bij zijn jeans.

'Holly, de Fowlers willen je graag even gedag zeggen,' zei Jen, en ze troonde Holly mee in de richting van de keuken. Rob wilde al volgen maar Curt zei: 'Blijf maar even hier praten, Rob. Bij de Fowlers kun je beter uit de buurt blijven. Saaier dan saai.'

'Curt! Niet zo hard!' fluisterde Jen. 'Misschien kun jij eens kijken of er nog iemand aan een nieuw drankje toe is, Rob.'

'Komt voor mekaar, mevrouw Anderson,' zei Rob.

'Jen,' zei ze. 'Je leert het nog wel.'

'Maar we gaan naar de film, Jen,' protesteerde Holly. Als ze toeliet dat haar moeder hen bij de party betrok zouden ze nooit weg-komen. Jen posteerde Holly tegenover Gordon en Peggy Fowler, een lang stel met allebei een rond gezicht. Hun dochter Britta zat ook op Rosewood, in de elfde klas.

Peggy begroette Holly met een zoen. 'Hallo, liefje. Je lijkt wat blonder. Gebruik je highlights?'

'Nog niet,' antwoordde Holly. 'Het is nog puur natuur.'

'Ze heeft geluk,' zei Jen. 'Als je eens wist wat ik doormaak om te zorgen dat het grijs er niet doorheen komt...'

Peggy knikte alsof ze er alles van wist.

'Ik hoor van Britta dat jij tegenwoordig nogal in the picture staat op Rosewood,' zei Gordon. 'Iets met een datingwebsite?'

'Ze heeft hem mij laatst op een avond laten zien,' zei Jen. 'Echt ontzettend knap gemaakt.'

'Het was een project voor school,' zei Holly. Ze keek de woon-kamer rond om te zien waar Rob uithing. Curt deed hem voor hoe je een glas scotch moest inschenken.

'Zeg, moet je horen, Holly,' zei Peggy. 'Ik wilde je iets vragen. Britta zit nu in de elfde, hè, en ze... tja, ze zit altijd maar te leren...'

'Ze heeft nog nooit een vriendje gehad,' ging Gordon door. 'Gewoon niet in geïnteresseerd. Kun jij haar niet eens meenemen naar een feestje of zo? Toen jullie nog klein waren konden jullie het altijd zo goed vinden samen.'

Holly had vage herinneringen aan een vijfjarige Britta die naar haar mepte en weigerde haar met haar speelgoed te laten spelen. 'Eh, goed, ik zal mijn best doen,' zei ze.

'Geen al te wild feest,' zei Peggy. 'Ze moet wel aan haar college-inschrijvingen denken. Gewoon iets om een beetje te ontspannen, van haar schooltijd te genieten, een paar leuke vriendinnen vinden misschien.'

Wat had Britta over haar verteld? Ze leken te denken dat Holly op sociaal gebied een superster was of zo. Ze moesten eens weten.

Lina, Mads en zij waren nu populairder dan vóór ze De Dating Game begonnen, maar ze moesten nog steeds een hoop moeite doen om aandacht van de populairste oudere leerlingen te krijgen.

'Dat daarginds is Holly's vriend,' zei Jen. 'Wat een schatje, hè?'

De Fowlers knikten en mompelden aardige dingen over Robs schattigheid.

'Kom, Holly. Ik heb even hulp in de keuken nodig.' Holly liep achter Jen aan naar de keuken, waar Jen haar een schaal mini-quiches in haar handen duwde en haar weer de keuken uit schoof. 'Hup! Hup! Iedereen heeft honger!'

'We willen de voorstelling van halfacht halen, mam,' zei Holly, maar Jen deed of ze niets hoorde. Terwijl Holly met de schaal rondging, ontmoette haar blik die van Rob. Hij was witte wijn aan het inschenken voor drie vrouwen en scheen geen haast te hebben om weg te komen.

Nadat Jen haar nog een keer bij iedereen langs had laten gaan met de hors d'oeuvres, lukte het Holly eindelijk weer bij Rob te komen, die het prima naar zijn zin had met Curt. Curt vertelde hem net over een andere cocktailparty die ze een keer hadden gegeven, waarbij Holly voor de gasten was opgetreden.

'Ze zong het alfabetliedje, trok haar shirt uit en maakte een koprol,' vertelde Curt. 'Ze was het hoogtepunt van de party!'

'Toen was ik pas vier,' zei Holly. 'Jij doet alsof het pas gebeurd is.'

Curt had een beetje te veel scotch op. Hij sloeg zijn arm om Rob heen en ze lachten allebei.

'Doe toch niet zo achterlijk, Curt,' zei Holly.

'Uh-oo, daar gaan we weer,' zei Curt. 'Holly vindt het niet leuk om geplaagd te worden. Of om haar zin niet te krijgen. Heb je wel eens gezien wat ze dan voor gezicht trekt, Rob? Dat noemen wij haar Grinch-gezicht.'

'Zoiets, bedoel je?' Rob trok een ongeduldig, nijdig gezicht.

'Precies!' zei Curt. 'Ik zie dat je al een paar aanvaringen met de

Grinch hebt gehad.' Ze lachten weer, zodat Holly zich alleen maar meer ging ergeren.

'Als wij niet maken dat we hier weg komen, krijgen jullie nog iets veel ergers dan de Grinch te zien,' zei ze.

'Toe nou, liefje, we hebben net zo'n lol,' zei Curt. 'Rob en ik leren elkaar net wat beter kennen.'

Nijdig keek Holly naar Rob. Ze kon zien dat hij niet wist of hij het haar of haar vader naar de zin moest maken. 'Wat wil jíj, Rob?' vroeg ze. Naar de film of Curt helpen zijn onemanshow te perfectioneren?'

'Ik zou maar doen wat Grinchy wil,' zei Curt, waarop Rob en hij weer dubbel lagen.

'Best,' zei Holly. 'Je zoekt het maar uit. Jullie vormen een geweldig duo samen' En ze stormde weg naar haar kamer.

'Holly!' riep Jen haar na. 'Kun jij de kaviaar even uit de koelkast halen?'

Holly ging op haar bed zitten en telde de minuten tot Rob haar achterna kwam. Niet meer dan vijf, maar hij had best vlugger kunnen komen. Al wist ze dat het moeilijk was om aan haar vader te ontsnappen als hij in een feestelijke bui was.

'Het spijt me, Holly,' zei Rob. 'Wil je hier weg en naar de film? Dan gaan we.'

'Het is nu te laat.'

'Wil je dan iets anders gaan doen?'

'Laten we ons maar gewoon een poosje hier verstoppen.'

'Oké.' Ze gingen op haar bed liggen. Hij sloeg zijn armen om haar heen en hield haar vast. Ze kroop dicht tegen hem aan en voelde haar woede wegsmelten. Hij kon er eigenlijk niets aan doen. Ze kon moeilijk van hem verwachten dat hij tegen haar ouders inging. Toch wilde ze dat iemand dat eens deed, behalve zijzelf.

Er werd op de deur geklopt. 'Kom je zo weer beneden, liefje?' Het was Jen. 'Iedereen vraagt naar je.'

'Misschien kunnen we beter teruggaan,' zei Rob.

'Is dat wat jij wilt?' vroeg ze.

'Nou, ik wil je ouders niet teleurstellen.' Hij aarzelde. 'Maar wat wil jij het liefst?'

Ze sloot haar ogen. 'Niks,' zei ze. 'Ga jij maar vast, drankjes inschenken. Ik kom zo.'

'Hmm... Ik zie zorgen in die grote blauwe ogen.' Het was maandagochtend en Sebastiano Altman-Peck tuurde in Holly's ogen. Ze had het kluisje naast het zijne en daarom zag ze hem minstens twee keer per dag. Hij hoorde net zo bij de dagelijkse gang van zaken als tandenpoetsen.

'De Grote Sebastiano ziet alles. De patiënt lijdt aan acute verliefditis en vertoont daarnaast symptomen van hevige Sebastiano-ontwenning.'

'Neem me niet kwalijk, Grote Sebastiano, dat ik me even aan uw doordringende blik onttrek.' Holly toetste de combinatie van haar slot in. 'Daar is het nog een beetje te vroeg op de ochtend voor. En wat is Sebastiano-ontwenning trouwens?'

'Je hebt me twee volle dagen niet gezien. Daar word je kribbig van. Maak je geen zorgen, dat is volkomen normaal. Iedereen is verslaafd aan mij.' Hij rommelde in zijn kluisje tot hij een lange rode das vond. 'Daar was je dus,' zei hij tegen de das terwijl hij hem om zijn nek wond. Nu zijn kleding eindelijk compleet was, smakte hij zijn kluisje dicht en leunde ertegenaan. 'Goed. Hoe zit dat nou met die liefdesproblemen? Ik wil er alles van weten en ik heb de hele dag de tijd.'

'Nee, dat heb je niet,' zei Holly. 'Over een paar seconden gaat de bel.'

'Als ik hier wil blijven staan wachten tot jij je hart uitstort, dan doe ik dat.' Hij sloot zijn ogen en wreef over zijn slapen als iemand die gedachten las. 'De Grote Sebastiano ziet een stoere jongen met bruin haar... rode baseballpet... plastic zwembrilletje... Kan het soms...? Ja, het is zwemkampioen en Holly-aanbidder Rob Safran.' Hij opende zijn ogen om haar aan te kijken. 'Je kunt net zo goed bekennen. Vroeg of laat krijg ik het toch wel uit je.'

'Oké,' zei Holly. 'Er is iets wat me een heel klein beetje dwarszit. Eén piepklein microdingetje dat absoluut niet belangrijk is.'

'A-ha,' zei Sebastiano. 'De Grote Sebastiano heeft altijd gelijk. En dat piepkleine microdingetje is...? Die rode baseballpet, hè? Daarmee lijkt hij net Ronald McDonald. Jammer hoor, want hij is echt een schatje als zijn haar niet in zo'n gruwelijke franje om zijn hoofd wordt geperst.'

'Met die pet kan ik wel leven,' zei Holly. 'Het is iets anders. Voor hij me zoent vraagt hij altijd: "Is 't goed als ik je zoen?", echt elke keer.'

'Echt waar? Is hij zo gespannen. Heb je wel eens geprobeerd te zeggen dat hij dat niet moet doen? Of ben jíj daar te gespannen voor?'

'Ik ben niet gespannen!' zei Holly.

'Je durft gewoon niet,' zei Sebastiano.

'En hij is een slappeling,' zei ze. 'Hij wil altijd doen wat ik wil, of wat mijn ouders willen, maar hij zegt nooit wat híj wil.'

'Hmm... Dit is mijn diagnose: waar jij mee zit is een jongen-die-te-gek-op-je-is,' zei Sebastiano. 'Hij is zo gek op je dat hij bang is iets verkeerds te doen. Zijn liefde voor jou maakt een watje van hem.'

'Bestaat er een geneesmiddel?' vroeg Holly. 'Ik mag hem echt. En hij wil alleen maar aardig zijn.'

'Juist ja. Aardig. Niks wat zo onsexy is als aardig,' zei Sebastiano. 'Wat dacht je van Mo Basri? Die zag ik laatst naar je gluren. Je moet je eigen aantrekkingskracht niet onderschatten, Holly. Je bent slim, je bent lief, maar je hebt ook een vleugje eau-de-stoute-meid achter je oor, als je snapt wat ik bedoel. Wrrauw!'

Holly zweeg even. 'Stond Mo Basri echt naar me te gluren?' Mo was een twaalfdeklasser met glanzend zwart haar en een scherpe neus. Hij was populair en aardig zelfverzekerd.

'Hield je drie volle minuten in de gaten terwijl je van hier naar de gymzaal liep, zonder zijn ogen van je af te wenden,' zei Sebastiano.

Holly liet het even bezinken. Na een lange saaie winter was het eindelijk lente. Een nieuw begin. Nieuwe mogelijkheden. Liefde in de lucht en dat soort dingen. Misschien was het tijd voor verandering... van vriend.

# 5 Beauregard schrijft terug

Aan: linaonme

Van: Elke dag je horoscoop

Dit is je horoscoop voor vandaag: Kreeft: Een van je grootste wensen wordt vandaag vervuld – en misschien wens je dan wel dat het niet was gebeurd.

'Schuif eens op, Lina,' brulde Sebastiano boven het kabaal in het Zwemcentrum uit. Lina ging een stukje opzij op de bank om ruimte voor hem te maken naast Holly, waar hij wilde zitten. Het schoolzwemteam van Rosewood had die dag een belangrijke wedstrijd tegen Draper, en Lina was met Holly en Mads meegekomen om te kijken. Rob en Sean speelden een grote rol in het team.

'O help, ik had Sean nog nooit in zijn zwembroek gezien,' zei Mads. Ze stak haar hoofd tussen haar knieën. 'Ik ga hyperventileren. Wat een stuk is het toch.'

'Diep ademhalen, Mads, diep ademhalen,' zei Lina, die haar over haar rug wreef. Geschreeuw en het gesnerp van een fluitje echoden tegen de betegelde wanden en het rook scherp naar chloor.

'Hup Rob!' schreeuwde Holly toen Rob klaar ging staan voor de estafette vrije slag.

'Hoera voor Holly's hartendief!' riep Sebastiano.

'De wedstrijd begint zo, Mads,' zei Lina. Met een ietwat wazig gezicht ging Mads rechtop zitten.

'Is deze plaats bezet?' Walker Moore bleef met schrijfblok en pen in zijn hand naast Lina staan. Ze schudde haar hoofd en tikte uitnodigend op de bank.

'Bedankt.' Walker ging zitten en sloeg zijn lange benen over elkaar. Hij had zijn dreadlocks, die vroeger altijd in zijn nek samengebonden zaten, afgeknipt zodat hij nu een hoofd vol korte pieken had. Lina en hij waren één keer samen uit geweest, op een rampzalige double date met Holly en een eikel die Jake heette. Lina mocht Walker graag, maar niet op die manier. Niet zoals ze Dan Shulman mocht.

Er werd gefloten en de estafette ging van start. Walker richtte al zijn aandacht op het zwembad.

'Versla je de wedstrijd voor de krant?' riep Lina boven de herrie uit.

'Ja,' antwoordde hij. 'We hebben dit seizoen een goed team. Misschien een kans op het kampioenschap.'

'Hup Sean, hup Sean!' schreeuwde Mads. Lina moest moeite doen om niet met haar ogen te rollen. Sean was nog niet eens aan het zwemmen. Hij hurkte op de rand van het bad en wachtte tot Rob zijn aandeel in de wedstrijd afsloot door de wand aan te tikken.

Rob en de zwemmer van Draper lagen nek aan nek. Rob tikte de wand aan en Sean dook in het water en nam de leiding.

'Aaaaahh!' gilde Mads. 'Hij zwemt! Zet hem op! Zet hem op!'

Walker krabbelde iets op zijn schrijfblok en keek Lina aan. 'Is ze altijd zo?' vroeg hij.

'Meestal wel,' zei Lina.

Sean bracht Rosewood op voorsprong. Het enige wat de rest van het team moest doen was die vasthouden. Dat lukte, en Rosewood won de estafette. Het thuispubliek was door het dolle heen.

Het werd weer wat rustiger terwijl de teams zich voorbereidden op de volgende wedstrijd. Lina voelde een tikje op haar schouder. Toen ze omkeek zag ze een twaalfdeklasser met groene ogen en kort, golvend rood haar, Kate Bryson, hoofdredacteur van de *Ziener*.

'Hoi, Lina,' zei Kate. Ze hadden elkaar nog nooit gesproken, zodat Lina zich afvroeg hoe Kate haar naam kende. 'Hoi, Walker. Lina, ik wou graag even met je praten. We zitten te springen om een vrouwelijke sportverslaggever en volgens mij zou dat echt iets voor jou zijn.'

'Voor mij? Waarom?'

'Ik weet dat je kunt schrijven, ik heb het een en ander van je gelezen op die website van jou en je vriendinnen,' zei Kate. 'En heb je ook niet in de *Vuurvlieg* gepubliceerd?' Lina knikte. De *Vuurvlieg* was een van de literaire schooltijdschriften. Dan was docent-adviseur en Ramona Fernandez hoofdredacteur. Ze hadden kortgeleden een gedicht van Lina gepubliceerd.

'En je bent een fanatieke hockeyer, dus je weet waar het bij sport om gaat,' ging Kate verder. Lina speelde hockey in de najaarscompetitie. 'En bovendien heeft Walker je aanbevolen.'

Verbaasd keek Lina Walkers kant op. Hij haalde grinnikend zijn schouders op. Lina was gevleid. Iemand zag haar echt als schrijver. Of in elk geval als potentieel schrijver.

'En, doe je het?' vroeg Kate.

'Goed, ik wil het wel proberen,' antwoordde Lina.

'Mooi. We hebben morgenmiddag om halfvier redactievergadering. Als je ook komt, geef ik je dan je eerste opdracht.'

'Bedankt, Kate.' Ze wilde Walker ook bedanken, maar de volgende wedstrijd was al bezig en hij zat aandachtig het zwembad in de gaten te houden.

'Wat was dat allemaal?' vroeg Mads.

'Ik word sportverslaggever,' zei Lina.

'Cool!' Mads vertelde het aan Holly en Sebastiano, die het gesprek nieuwsgierig hadden gadegeslagen. Sebastiano stak goedkeurend zijn duim naar haar op. 'Dat is de baan waar ik van droom,' riep hij voor Holly en Mads langs. 'Nou ja, na fotograaf, schoenenontwerper, beroemde niet-verhongerende kunstenaar en extravagante popster. En ambassadeur in Frankrijk. Maar ik weet zeker dat je er geknipt voor bent.'

Lina wilde de wedstrijd weer gaan volgen, maar die was al afgelopen. Uh-oo, dacht ze. Ik moet me maar snel aanwennen heel goed op te letten.

Het eerste wat Lina deed toen ze thuiskwam was, net als anders, haar e-mail checken. Het was een week geleden dat ze als 'Larissa' aan 'Beauregard' had geschreven en ze had nog niets terugge- hoord. Maar die dag was het haar geluksdag.

Aan:   Larissa
Van:   Beauregard
Re:    De Lijst

Beste Larissa,
Bedankt dat je op mijn oproep hebt gereageerd. Het spijt me dat het zo lang duurde voor je iets van me hoorde, maar tot mijn verbazing heb ik een heleboel reacties gekregen. Het kostte even tijd voor ik die allemaal had doorgewerkt. Maar ik vond die van jou het leukst. Hij was kort en simpel maar prettig. Eerst nog wat meer over mezelf. Ik geef les op een high school. Ik ben gek op de leerlingen, maar van het vak waar ik mee ben opgescheept ben ik niet zo kapot. Het heet Interpersoonlijke Menselijke Ontwikkeling, en hoewel het schooljaar er al voor twee derde opzit, ben ik er nog steeds niet helemaal uit wat daar nu mee bedoeld wordt. Ik zou veel liever literatuurles geven, maar zo'n baan is op dit moment moeilijk te vinden, zeker hier in de buurt. Ik kom oorspronkelijk uit Iowa, maar ben naar het westen gekomen om te studeren en net als iedereen verliefd geworden op de Bay Area.
En jij? Ik vind het echt prachtig dat je film studeert. Waar studeer je? Ik ben een enorme fan van Jarmusch, en natuurlijk van de broers Coen, maar ik hou ook van Tarantino, met enig voorbehoud. Wie is jouw favoriete filmer? Ik zou wel de hele dag over films kunnen praten. Ik hoop dat je gauw terugschrijft.
Beauregard

Lina kon haast niet geloven wat ze in haar computer had zitten. Wat was ze al veel over hem te weten gekomen! Ze had al vermoed dat hij het niet leuk vond om IMO te geven, zodat het haar goed deed te merken dat ze gelijk had gehad. En hij kwam uit Iowa! Wat lief. Ze was er nog nooit geweest, maar ze zag beelden van goudgele tarwe en groene maïsvelden voor zich. Wat was Iowa City eigenlijk voor plaats? Reden ze daar in tractoren rond?

Ze las de mail nog een keer, en een derde keer. Ze wist niet wie Jarmusch was, maar van Tarantino en de broers Coen had ze tenminste gehoord. Ze stuurde een MSN-bericht aan Holly en Mads.

linaonme: raad eens? beauregard heeft teruggeschreven!
mad4u: ga weg! wat schrijft hij?
linaonme: dat hij een hele berg mails heeft gekregen maar die van mij het leukst vond.
hollygolitely: dat moet ik zien. kunnen we naar jou toe komen?
linaonme: kom na het eten maar. ik ga nu terugschrijven, en misschien is er dan weer antwoord.

Lina wilde eerst nog een poosje alleen zijn om met zorg haar eerste antwoord te kunnen opstellen. Ze wilde niet in een of andere valstrik belanden waar ze zichzelf niet meer uit zou kunnen schrijven. Je bent Larissa, zei ze tegen zichzelf. Ze greep een zijden sjaal uit haar ladekast om zichzelf wat glamour te bezorgen. Je bent tweeentwintig. Je bent supermodieus maar loopt er niet mee te koop. Je bent mooi maar aardig. Je bent perfect. Je bent het meisje waar Dan van droomt.

Beste Beau,
Mag ik je zo noemen? Beauregard klinkt zo duf.

Nee, die laatste zin kan beter weg, besloot ze. Ze wilde hem niet meteen in de eerste alinea voor het hoofd stoten. Ze veranderde het in:

Beauregard is zo lang om te typen. Ik was blij met je mail.

En nu? Zijn vragen beantwoorden. Maar hoe? Daarvoor moest ze wat research doen. Ze googelde 'Jarmusch' om erachter te komen wie dat was. Jim Jarmusch, een vruchtbare onafhankelijke filmer, begin jaren tachtig begonnen. Eerste belangrijke film: *Stranger Than Paradise*. Werkt vaak in zwart-wit. Dat was voorlopig genoeg info. Volgende vraag: waar studeerde ze?

Ze vond een faculteit film op Berkeley, dus dat was een mogelijkheid... Santa Cruz was te ver weg... Aha. San Francisco State had een afdeling film. Ideaal. Ze kende de stad vrij goed, omdat hij maar een uur reizen ten zuiden van Carlton Bay lag. En haar vader, die bankier was, ging er elke dag heen voor zijn werk. Nu weer door met haar mail.

Beste Beau,
Mag ik je zo noemen? Beauregard is zo lang om te typen. Ik was blij met je mail. Ik heb nog net even tijd om je terug te schrijven voor ik naar een café ga waar ik vaak zit te leren, om over filmtheorie te lezen. Ik studeer voor mijn master's degree aan San Francisco State. De filmfaculteit hier is erg intellectueel. We kijken heel veel zwart-witfilms. Als je van Jarmusch houdt, neem ik aan dat je 'Stranger Than Paradise' wel gezien zult hebben. Ik ben ook gek op zwart-witfilms. Quentin Tarantino werkt natuurlijk meestal in kleur, maar zijn films vind ik ook goed. Ik geloof eigenlijk dat de meeste films tegenwoordig in kleur zijn. Het is moeilijk om nog een goede in zwart-wit te vinden.

En verder ben ik opgegroeid in de Bay Area, en dat is het wel
zo'n beetje.
Schrijf alsjeblieft gauw terug, ik verheug me er al op meer over
je leven te horen. Wat voor school is het waar je werkt? Heb je
ook favoriete leerlingen?
Larissa

Hallo Larissa,
Het is prima als je me Beau noemt, hoor. Mag ik jouw naam
dan afkorten tot Lara? Zoals de heldin in 'Dokter Zhivago'. Dat
was nog eens een goede film, en nog wel in kleur.
(Wat was dat een geestige mail die je stuurde! 'Ik geloof
eigenlijk dat de meeste films tegenwoordig in kleur zijn.' Ik ben
blij dat je gevoel voor humor hebt. Dat hebben alle mensen die
ik graag mag.)
Eens kijken, je vroeg naar de school waar ik werk. Nou, daar is
het wel interessant. Het is een vrij progressieve high school. Of,
zoals de directeur zegt, een 'beoordelingsgestuurde, vakoverstij-
gende, vraaggestuurde school die erop gericht is de capaciteiten
van de leerlingen zo impactrijk mogelijk te optimaliseren.' Mijn
vriendin Camille en ik noemen hem Harrie Hark, omdat hij zo'n
stijve hark is. Niet waar hij bij is natuurlijk. We willen onze
baan niet kwijtraken, voorlopig niet tenminste.
Maar goed, de school wordt verondersteld de intelligente
kinderen uit de omgeving te trekken, maar het is hier een vrij
chique plaats en alle ouders zien hun kinderen voor genieën aan.
Daarom bereiden ze hen goed voor op de toelatingstest en veel
van hen slagen ook. Maar de meesten zijn beslist geen genieën,
neem dat maar van mij aan. Ik mag de een meer dan de ander,
maar doe mijn best dat niet te laten merken.
De docenten vormen een gemengd gezelschap. Zo is er een arme
meetkundelerares die Mildred heet. Ze heeft een glazen oog, is

veel te dik en wordt al een dagje ouder, volgens mij loopt ze al tegen de zestig. De leerlingen noemen haar achter haar rug 'Milli Meter' of 'Trusten', maar eigenlijk is ze heel aardig. De tekenleraar is een vreemde, supermagere vent met een lange snor. Hij heeft bijna elke ochtend een kater en rookt als een schoorsteen, maar je kunt wel met hem lachen. Hij werkt al twintig jaar hier op school. Af en toe komt er wat bitterheid naar buiten. God, ik denk dat ik mezelf voor mijn kop zou schieten als ik hier zo lang moest lesgeven.

Nou, ik heb er wel een heel verhaal van gemaakt. Hopelijk heb ik je niet verveeld. Lesgeven op een high school in een kleine plaats is lang niet zo spannend als film studeren in een grote stad. Schrijf gauw terug als je tijd hebt, en vertel me meer over jezelf. Je hebt die 'Vijf dingen die ik nooit zou kunnen missen' gezien in mijn profiel. Welke zijn dat voor jou?

Beau

'Jee zeg, heeft Frank Welling elke dag een kater?' zei Mads. Dat was de tekenleraar die Dan had beschreven. 'Geen wonder dat hij 's ochtends altijd zo chagrijnig is.'

'Dit is echt super,' zei Holly. Het was inmiddels avond en Mads en zij zaten dicht bij elkaar voor Lina's computer de geheime gedachten van hun leraar te lezen. 'Dit is een goudmijn voor inside-information.'

'Niet te geloven dat hij meneer Alvaredo Harrie Hark noemt,' zei Mads. De directeur heette eigenlijk John Alvaredo en hij was inderdaad erg gek op educatief jargon. 'Om te gillen. Harrie Hark. Harrie Hark Alvaredo. Hij is ook wel erg stijf.' Ze ging keurig rechtop zitten en deed zijn stem na. '"Het is essentieel dat de facilitatoren van deze proactieve missie hun methodologieën trianguleren."'

Holly en Lina lachten. 'Wie is die Camille waar hij het over heeft?' vroeg Holly.

'Dat moet mademoiselle Barker zijn,' zei Lina. De knappe Franse lerares. Lina had niet in de gaten gehad dat Dan en zij zulke goede vrienden waren. Ze had zich wel vaak afgevraagd of er niet iets – op zijn minst wat geflirt – tussen hen was.

'Hoe zit het dan met haar?' vroeg Mads.

'Ze kunnen niet met elkaar gaan, want dan zou hij Larissa niet schrijven,' zei Holly.

Dat vond Lina een troost, maar toch bleef ze achterdochtig.

'Ik moet hem weer terugschrijven,' zei ze. 'Wat zal ik zeggen?'

'Vraag maar of er ook leerlingen verliefd op hem zijn,' zei Mads.

'Nee!' zei Lina.

'Dan kun je erachter komen of hij je doorheeft,' zei Mads.

'Vraag maar wat hij van de gothic meisjes vindt,' zei Holly. Daarbij dacht ze aan Lina's vriendin en rivale Ramona.

'Veel te opvallend,' zei Lina. 'Hij mag niet doorkrijgen dat ik hem ken.'

'Goed, dan houd je het simpel,' zei Holly. 'Vertel hem je lievelingseten en -kleuren en al dat soort dingen, en vraag naar de zijne. Dan merk je vanzelf wel wat ervan komt.'

'Goed idee.' Lina begon haar antwoord op te stellen.

Beste Beau,
Je hebt gelijk: film studeren is veel spannender dan high school. Dat kan toch niet anders? Ik ging nog liever dood dan nog een keer de high school door te moeten.

'Dat is goed,' zei Holly. 'Dat zegt Piper ook altijd.' Piper was haar oudere zusje, dat in een andere stad studeerde.

'En dan nu die vijf dingen waar je niet buiten kunt?' zei Mads. 'Eens kijken, gombeertjes natuurlijk, pindakaas, je ondergoed-voor-elke-dag-van-de-week –'

'Mads! Dat ga ik hem niet vertellen.' Ze was inderdaad dol op gombeertjes en pindakaas en haar ondergoed-voor-elke-dag-van-de-week, met voor iedere dag een andere pasteltint. Ze was ook gek op Frosties en haar oude lappenpop, maar dat ging ze hem ook niet vertellen. Larissa hield niet van zulke dingen. Daar was Larissa te geraffineerd voor.

De vijf dingen die ik nooit zou kunnen missen zijn mijn Chanel no.5 parfum, mijn rode nagellak, mijn filmencyclopedie, mijn donkere bril en mijn hoge hakken.

'Wauw, wat een glamour,' zei Mads.

'Je moet er pindakaas bij zetten,' vond Holly. 'Hij zei dat hij van pindakoekjes houdt. Dan hebben jullie iets gemeen.'

'Oké.' Lina veranderde de hoge hakken in pindakaas. Dat gaf iets grappig bescheidens aan het lijstje.

Aan de manier waarop je over je school praat merk ik wel dat je een goede leraar bent. Ik wed dat de leerlingen je heel erg waarderen. Een goede schrijver ben je ook. Heb je er wel eens aan gedacht een roman te schrijven? Ik geloof dat ik dat zelf ook nog wel eens zou willen proberen.
Wat ben je op dit moment aan het doen? Zit je thuis proefwerken na te kijken? Ben je uit, bij je vrienden? Daar ben ik gewoon nieuwsgierig naar. Ik schrijf je vanuit het café op mijn laptop en kijk ondertussen naar alle mensen die in en uit lopen. In de verte kan ik de lichtjes van de Bay Bridge zien glinsteren. Wat is dit toch een mooie stad. Welterusten, Beau. Schrijf gauw terug.
Lara

'Wauw, Lina, dat is prachtig,' zei Mads. 'Het lijkt haast wel een ge-dicht.'

Lina hoopte maar dat Dan net zo onder de indruk zou zijn.

Mads en Holly waren al naar huis toen er antwoord van Dan kwam. Daar was Lina blij om. Zijn antwoord was kort en lief, en ze wilde het voor zichzelf houden.

Lieve Lara,
Het is al laat en ik weet dat ik hier morgenochtend misschien spijt van heb... maar ik moet je toch even vertellen dat je fantastisch bent. Zoals jij het leven bekijkt, dat is zo mooi. Ik wil niets overhaasten, maar ik hoop echt dat we elkaar ooit zullen ontmoeten.
Liefs,
Beau

# 6 Portret van de kunstenares als tienermeisje

Aan:   mad4u
Van:   Elke dag je horoscoop

Dit is je horoscoop voor vandaag: Maagd: De mensen onderschatten je vaak, maar jij bent vastbesloten te laten zien dat ze het mis hebben. Dat is onbegonnen werk, maar ik zal je er wel niet van kunnen weerhouden het te proberen.

'Ga eens tegen die witte muur staan,' zei Mads tegen Holly. Ze duwde Holly tegen de wand van het tekenlokaal. 'Oké, en nu recht naar mij kijken,' beval ze. 'Niet lachen. Zo ja.' Ze nam een foto met haar nieuwe digitale camera. 'Dan nu een paar waarop je lacht.'

Stephen was aan de andere kant van het lokaal met de constructie van zijn slaapkamerinstallatie bezig. Mads kon voelen dat hij half en half toekeek en luisterde.

'Waarom laat je haar niet als Venus poseren?' stelde hij voor. 'Zoals op dat beroemde schilderij.'

Mads wist welk schilderij hij bedoelde, dat waarop Venus op een reusachtige zeeschelp stond. 'Naakt, bedoel je?' vroeg ze.

'Ik poseer niet naakt, zelfs niet voor jou, Mads,' zei Holly.

'Nee, maar alsof ze net uit de zee komt, misschien met een ventilator die haar haar naar achteren blaast,' zei Stephen.

'Sorry, maar dat is niet hoe ik Holly zie,' zei Mads. 'En ik weet trouwens niet of ik dat wel zou kunnen tekenen.'

Stephen haalde zijn schouders op. 'Ze doet me alleen aan dat schilderij denken, dat is alles.'

Mads stopte met fotograferen en keek hem verbaasd aan. Had Stephen een oogje op Holly? Hij was alweer met zijn werk bezig, zodat ze het niet aan hem kon zien. Maar over een meisje zeggen dat ze op de Venus van Botticelli lijkt was een aardig groot compliment, zeker van een artistieke jongen als hij.

Ze bekeek de foto's die ze had genomen en koos een mooie opname van Holly terwijl ze met een vage glimlach op haar gezicht met een sliert haar speelde. Ze laadde hem in de computer en printte hem uit om na te tekenen.

'Mag ik een paar minuten blijven kijken terwijl je aan het tekenen bent?' vroeg Holly.

'Mij best,' zei Mads. 'Dan kun je helpen met de plannen voor mijn feest. Zal ik echte uitnodigingen sturen of mailtjes? Als ik snailmail kies moet ik ze morgen op de bus doen, anders krijgen de mensen ze niet op tijd.' Stephen was inmiddels aan het hameren, zodat hij hen niet kon horen praten. Ze wilde hem niet de indruk geven dat ze oppervlakkig was, een leeghoofd dat alleen maar aan feestjes dacht.

'Mailtjes lijkt me prima,' zei Holly. 'Blijven je ouders er ook bij?'

'Duh. Dacht je dat ze mij een feest lieten geven zonder uitvoerig toezicht? Niet alleen zijn mijn ouders erbij, mijn tante Georgia en oom Skip komen hen gezelschap houden. Maar ik heb hun tenminste wel uit het hoofd kunnen praten dat er ook leraren worden uitgenodigd. Nou nog bedenken hoe we kunnen zorgen dat die volwassenen het feest niet met hun fatale zuurpruimideeën vergiftigen.'

Ze pakte haar pastelkrijt en bevestigde een vel dik papier op een ezel. 'Hier sta je geweldig op, Holly,' zei ze.

Holly boog naar haar toe om de foto te bekijken. 'Vind je? Mijn neus lijkt zo groot.'

'Nee hoor,' vond Mads. 'Je hebt een sierlijke neus.'

'Maar goed dat je me vandaag op de foto hebt gezet, en niet morgen,' zei Holly. 'Want ik voel een giga pukkel opkomen. Hij zit vlak onder het oppervlak te wachten op het ideale moment om de kop op te steken en mijn leven te verpesten.

'Jij hebt nooit pukkels.'

'O nee? Hoe noem je dit dan?' Ze wees naar een piepklein rood puntje vlak bij haar haargrens.

Mads kneep haar ogen een stukje dicht om het te kunnen zien. 'Dat noem ik onzichtbaar. Wou je eens een pukkel zien? Dan moet je –'

Het gehamer stopte. Mads hield meteen haar mond. Ze vond het niet prettig om over pukkels en neuzen te praten waar Stephen bij was. Ze was bang dat ze dan een stomme indruk zou maken. Ze zuchtte diep en mepte met Holly's foto op haar bovenbeen.

'Dit is toch belachelijk? Je zit hier vlak voor mijn neus, en dan zit ik je van een foto na te tekenen. Dat is nou een schitterend voorbeeld van hoe de technologie afstand creëert tussen ons en de werkelijkheid.'

'Wat?' vroeg Holly. 'Kunnen we alsjeblieft weer over pukkels praten, want ik heb geen idee waar je het over hebt.'

'Maar ik heb die foto nodig om aan de tekening te kunnen werken als jij niet in de buurt bent,' ging Mads verder. 'Wat het moderne leven niet allemaal van ons eist.'

'Zonder je mobieltje, je iPod en je laptop zou je niks beginnen, en dat weet je best,' zei Holly.

'Dat is waar ook, Mads,' riep Stephen van de andere kant van het lokaal. Aha, dus hij luisterde wel. Hij rommelde in zijn rugzak en haalde er een boek uit. 'Dit heb ik voor je meegebracht, als het je interesseert.' Hij kwam het lokaal door en legde het boek op haar tafel. *De Lege Wereld*, door Berndt Werner.

Mads legde haar vingers even op het omslag. 'Bedankt, Stephen. Dat is die filosoof die jij zo goed vond, hè?'

Holly pakte het boek. 'Hé, dat is mijn zusje Piper aan het lezen voor haar cursus filosofie.' Ze las de achterkant en zei toen: 'Wauw, Mads, dit is zware kost. Weet je zeker dat dat iets voor jou is?'

Mads keek haar vuil aan. 'Natuurlijk wel. Ik vind filosofie ontzettend interessant.'

'Ik krijg het wel van je terug als je het uit hebt,' zei Stephen, terwijl hij weer naar zijn werkplek terugliep. 'Maar neem rustig de tijd.' Hij ging door met hameren.

'Wat gebeurt hier?' fluisterde Holly tegen Mads. 'De enige filosofie waar jij in geïnteresseerd bent is De Verzamelde Wijsheid van Sean Benedetto. Dat dacht ik tenminste.'

'Niet waar,' fluisterde Mads terug. 'Ik ben in heel veel dingen geïnteresseerd.'

'In Stephen bijvoorbeeld,' zei Holly. 'Ik heb wel door wat je elke dag na school hierboven aan het doen bent. Je flirt met hem!'

'Nietes!' Mads werd vuurrood. Ze was niet met Stephen aan het flirten. Ze vond het gewoon prettig om met hem te praten. En omdat ze niet dacht dat hij zijn tijd aan een leeghoofd zou verspillen, deed ze haar best hem een serieuzere kant van zichzelf te laten zien. Dat was juist goed. Haar serieuze kant mocht best wat verder ontwikkeld worden.

'Je hebt het mis, Holly,' zei ze. 'Ik ben nog steeds op Sean. Ik probeer mezelf alleen een beetje te verbeteren, dat is alles.'

'Oké, oké, ik geloof je,' zei Holly. 'Maak je maar niet druk. Je gezicht is nog roder dan dit krijtje.' Ze pakte een rood pastelkrijtje. Het liet roodachtig stof op haar vingers achter.

Heb ik echt een oogje op Stephen, vroeg Mads zich af. Ze probeerde die vraag uit haar hoofd te zetten. Daar kon ze maar beter niet over nadenken, besloot ze, en meteen dacht ze er weer over door.

Waarom zou een jongen als Stephen in mij geïnteresseerd zijn? Hij is zo serieus en ik ben zo wispelturig... Hoe harder ik probeer serieus te zijn, hoe wispelturiger ik word! Oké, ik ga hier met niemand over praten, zelfs niet met Holly of Lina. Die vinden me toch al getikt omdat ik op Sean verliefd ben. En moet je me nou zien, met een oogje op de volgende jongen die nooit iets voor mij zal voelen... Ik zou wel gek lijken, of in elk geval meelijwekkend. Straks maken ze een heleboel drukte om niets. En dat is precies wat het is: niets.

# 7 Een meesterzet en zijn gevolgen

Aan:   hollygolitely
Van:   Elke dag je horoscoop

Dit is je horoscoop voor vandaag: Steenbok: Ze zeggen wel eens: een goede daad blijft nooit onbestraft. Nou, jouw straf komt eraan, hoor!

### Nuclear Autumn: om op de hoogte te blijven van de nieuwste ontwikkelingen in het leven van Autumn Nelson

Holly, Lina en Madison zijn eindelijk van hun luie krent gekomen om een date voor mij te regelen. Ze zeiden dat ik die jongen – we noemen hem maar even Mr. V – in Vineland zou treffen. Ik kende hem niet en wist ook niks van hem af. Ik had mijn twijfels, ernstige twijfels. Daarom belde ik iedereen die ik kende om te horen of zij wisten wie het was. Ik had geen zin om me in het openbaar te vertonen met een loser! Maar Holly haalde me over de gok te wagen. Ze zei dat het er bij liefde om ging je kwetsbaar op te stellen en risico's te nemen, bla bla bla. Dus ik ga naar Vineland en ik zie die jongen daar zitten. Oké, ik moet toegeven dat ik op het eerste gezicht niet kapot van hem was. Een doodgewone jongen. Dat dacht ik tenminste.

Ik ging zitten en we raakten aan de praat en ik vertelde hem alles over mezelf. Ik vertelde dat Chloe, oftewel het aanstaande stiefmonster, oftewel pa's vriendin, mijn leven ruïneert door al mijn vaders geld voor haarzelf uit te geven, en dat mijn moeder de laatste tijd zo'n bitch is en dat iedereen in de familie de pest aan me heeft, maar dat ze allemaal zo dól op mijn kleine halfzusje Lily zijn, is het geen schatje? Nou vraag ik je, wie is er nou geen schatje op zijn zesde? Had je mij eens moeten zien toen ik zes was, ik was onweerstaanbaar. Maar de tijd staat voor niemand stil, kleine Lily. Daar kom je nog wel achter. Die wordt later beslist een junk of een delinquent, en denk maar niet dat ze dan nog zo dol op haar zijn! En dan heb je Rebecca nog, mijn vroegere beste vriendin, die al haar tijd aan haar nieuwe vriend David besteedt en mij totaal verwaarloost terwijl ik het zo moeilijk heb!

Goed, Mr. V bleef twee en een half uur naar me zitten luisteren voor hij eindelijk zei dat hij honger had en met me naar een supercool Mexicaans tentje vlak bij het strand ging. We aten enchilada's en hadden het erover dat ik mijn kamer anders kon inrichten en of ik wel of niet op een fatsoenlijk college zou worden toegelaten als ik dit jaar een onvoldoende voor meetkunde haal. Hij betaalde het eten en hij was zo lief en tegen het eind van de avond keek ik hem aan en dacht: Zal ik eens wat zeggen? Die jongen is fantastisch! Ik bedoel, het drong zomaar opeens tot me door, hij is zo iemand van wie je niet meteen doorhebt dat het een schatje is, het komt langzaam binnen en dan wham! ben je verliefd!

We liepen een stuk over het strand, ook al was het kil, en toen bracht hij me naar huis. In de auto zoenden we en niemand zoent zo goed als hij. Ik wil niks horen over andere jongens en hoe goed die zoenen. Mr. V is de beste. Punt uit. Daarna liep hij met me mee naar de deur. Ik was zo gelukkig dat ik niet kon slapen. Chloe zag me helemaal stralend binnenkomen en zei: 'Wat is er met jou? Je hebt zulke rode wangen,' en toen zei ik: 'Dat heet liefde, geldgeile slijmbal die je bent, maar dat is iets wat jij nog nooit bent tegengekomen.'

Dat was dus, mijn toegewijde volgelingen, de beste date die er ooit is geweest, en ik geloof dat ik verliefd ben. Dankjewel, Holly en die andere twee, dat jullie ons bij elkaar hebben gebracht. Jullie namen komen in de Nuclear Autumn Hall of Fame, naast die van de kleurspecialist die mijn haar heeft gered die keer dat het oranje kleurde, het meisje dat mijn sporttas had gevonden toen ik hem in de kleedkamer had laten liggen en hem aan me teruggaf zonder mijn nieuwe yogabroek te pikken, en de dokter die me een mooiere neus heeft gegeven. Jullie krijgen het Autumn-keurmerk!

XXOO

'Wauw, Holly,' zei Mads. 'Zo'n groot succes hebben we nog nooit gehad! Je hebt Autumn gelukkig gemaakt, en iedereen op school weet het!'

'Eerst dacht ik dat ze het zich alleen maar verbeeldde,' zei Holly. 'Want hoe zou Vince nou iets aan die date gevonden kunnen hebben? Ze heeft alleen maar over zichzelf zitten praten. Maar moet je zien: hij lijkt haar echt leuk te vinden.'

Ze keken naar de bank aan de overkant van het schoolplein waar Vince – de mysterieuze Mr. V – naar Autumn zat te luisteren. Hij leek een ander mens geworden. Hij straalde.

'Wat raar,' zei Holly. 'Hij lijkt opeens echt knapper.' Al leken veel jongens haar de laatste tijd natuurlijk knapper.

'Ik denk dat hij het gewoon nodig had dat er eens iemand aandacht aan hem besteedde,' zei Lina.

'Hoi, meiden.' Mo Basri bleef bij hun bankje staan. Holly veerde op. Was Mo echt in haar geïnteresseerd, zoals Sebastiano had beweerd? Ze meende dat ze hem al een paar keer naar haar had zien kijken, maar dit was de allereerste keer dat hij haar aansprak.

'Ik heb alles over jullie op Nuclear Autumn gelezen,' zei hij. 'Hoe komt het dat jullie zoveel van liefde afweten?'

Hij zei 'jullie', maar hij keek alleen naar Holly.

'Wat denk je, kunnen jullie mij soms advies geven?' ging hij verder. 'Een vriend van me zit met een probleem.'

Holly moest zich beheersen om niet naar Lina en Mads te kijken. Ze voelde dat die naast haar een giechelbui zaten te onderdrukken.

'Nou, wij weten ook niet alles, maar we kunnen het wel proberen. Waar gaat het om?'

'Mijn vriend heeft een oogje op een meisje, maar ze heeft al een vriend,' zei Mo. 'Moet hij haar vertellen wat hij voor haar voelt of haar met rust laten? Kun je het wel maken om tegen een meisje te zeggen dat je haar leuk vindt als ze al bezet is?'

Interessant. En heel doorzichtig. Betekende dit dat Mo's 'vriend' – natuurlijk was het Mo zelf – op Holly verliefd was? Holly wist dat Mads en Lina het niet meer zouden houden als ze hun kant op keek. En dat zou alles verpesten. Dus ze mocht niet naar hen kijken. Gevaar. Gevaar. Verboden het hoofd naar links te draaien!

'Tja, dat hangt er denk ik vanaf, Mo,' zei Holly. 'Soms heeft een meisje een vriend maar is ze ook aan iets nieuws toe. Zendt ze signalen uit?'

'Het is nogal een mysterieus type,' zei Mo. 'Ik weet niet goed wat ik aan haar heb.'

'Hmm. Dan zou je het misschien eens kunnen proberen. Je hebt niks te verliezen. Als ze nog gek op haar vriend is, kan ze in het ergste geval nee zeggen. Als dat niet zo is en ze zegt ja, dan was het de gok toch wel waard?'

Mo grinnikte. 'Precies. Bedankt, Holly. O, nog één ding. Ik heb het telefoonnummer van dat meisje niet. Mag je een meisje mee uit vragen per e-mail?'

'Als je haar nummer niet weet, lijkt dat me wel oké, ja,' zei Holly.

'Cool,' zei Mo. 'Tot kijk.' Hij stak het schoolplein over en liep de school in. Zodra hij buiten hun gehoor was, begonnen Lina en Mads te lachen.

'Ik vermoed dat je binnenkort een mailtje van hem krijgt,' zei Lina.

'Zou je denken?' vroeg Holly.

'Duidelijker had hij toch niet kunnen zijn?' vond Mads.

'We zullen zien,' zei Holly, maar ze had het gevoel dat ze gelijk hadden.

'Jij bent goed in adviezen geven, Holly,' zei Mads. 'Je klonk echt of je er verstand van had! Waarom doe je geen adviescolumn op de site.'

'Dan noem je je de Liefdesninja,' zei Lina. '"Zij valt liefdesproblemen aan vanuit de schaduwen!"'

Een adviescolumn. Dat idee zag Holly wel zitten. Het zou leuk zijn voor de verandering eens over de problemen van anderen te piekeren.

'Ik doe het,' zei ze. 'De Liefdesninja... Dat is een mooie combinatie van gevoel en geweld. Net als de liefde zelf.'

Een paar dagen later logde Holly toen ze haar huiswerk af had op de Dating Game-blog in om haar inbox te checken. Hij zat boordevol verzoeken om datingbemiddeling en brieven aan de Liefdesninja. Ze hadden de column op de Dating Game-site aangekondigd met een link naar Nuclear Autumn. Holly sorteerde de mailtjes, zocht de beste uit en schreef haar eerste column.

Lieve Liefdesninja,
Mijn beste vriendin is heel knap. Er komen altijd jongens op haar af. Toen we een keer 's avonds in een club waren kwamen er twee jongens naar ons toe. De leukste begon met mijn vriendin te flirten en zijn vriend vroeg of ik met hem wilde dansen. Toen we terugkwamen was mijn vriendin weg. Sinds die avond gaat die leuke jongen met mijn vriendin maar ik heb niks meer van zijn vriend gehoord. Wat is er gebeurd?
Bijrolspeelster

Beste Bijrolspeelster,
Wat er is gebeurd, is dat jij het slachtoffer bent geworden van

een ouderwets een-tweetje. Ik geloof dat die term uit het voetbal komt, of misschien ijshockey. Die leuke jongen had een oogje op je vriendin en daarom vroeg hij zijn maat om als afleidingsmanoeuvre te dienen. Met andere woorden: hij deed alsof hij jou leuk vond om je af te leiden, zodat zijn vriend kans kreeg het met je vriendin aan te leggen. Dat is een van die achterbakse jongenstrucs waar je op bedacht moet zijn. Sommige jongens trekken als een meute honden met elkaar op en spelen om de beurt voor elkaar als afleidingsmanoeuvre, afhankelijk van de situatie. Misselijke truc, hè? Nu je dat weet, kun je anderen ook waarschuwen!

Liefdesninja

Ik ben hier hartstikke goed in, dacht Holly. Moet je zien hoeveel invloed ik op het liefdesleven van anderen heb! Overal maak ik mensen gelukkig. Door hun problemen op te lossen. Door hen te helpen de werkelijkheid onder ogen te zien en liefde te vinden. En hoe meer ik het doe, hoe beter ik erin word. Tegen het eind van het schooljaar ben ik vast net zo wijs als Dr. Phil.

Haar computer bliepte om te melden dat er een nieuwe mail binnenkwam.

Aan:  Liefdesninja
Van:  Mbasri
 Re:  vraag aan jou

Hoi Holly,
De Kevin Eleven speelt dit weekend in het Rutgers Roadhouse. Zin om er een avondje heen te gaan? Zaterdag misschien? Ze zijn echt super.
Mo

PS Dat advies dat je mijn vriend laatst hebt gegeven was echt prima.

Holly was opgewonden en nerveus. Ze wíst wel dat Mo in haar geïnteresseerd was, en zie je wel, ze had gelijk. Maar wat moest ze doen? Ze ging met Rob. Ze kon niet zomaar met een andere jongen naar een concert gaan.

Of wel? Want wat stelde het nu eigenlijk voor? Ze was pas zestien. Ze was toch niet met Rob getrouwd? En ze had echt geen enkele reden te denken dat Mo haar niet gewoon zomaar vrijblijvend meevroeg. Diep van binnen – en niet eens zo heel diep – wist ze natuurlijk wel beter. Maar ze maakte zichzelf wijs dat naar dat concert gaan verder niets zou betekenen.

Ze zou er helemaal niet over na moeten hoeven denken. Ze zou vrij moeten zijn! En toen zag ze opeens in dat ze eromheen draaide: Rob was niet 'de ware'. Dat kon niet. Als hij dat wel was, zou ze nu toch niet dit gesprek met zichzelf voeren? Nee, dan zou ze Mo onmiddellijk afwijzen. Als Rob 'de ware' was, zou ze dat intussen wel weten.

Daardoor zat ze met een groot probleem opgescheept. Ze moest van Rob af. Maar hoe? Ze mocht hem echt heel graag. Ze wilde hem geen pijn doen. En ze wilde niet dat hij een hekel aan haar kreeg. Ze wilde met hem bevriend blijven én met andere jongens uitgaan.

Dit was een klus voor de Liefdesninja. Wat jammer nou dat ze geen oplossing had voor haar eigen probleem.

Ik zet het op de blog, dacht ze. Een Dating Game-onderzoek. Er zaten altijd wel een paar goede oplossingen tussen alle rotzooi en geintjes. Maar ze moest het wel zo verdraaien dat Rob niet doorkreeg waar het om ging. Daarom stelde ze een nepbrief aan de Liefdesninja op.

Beste Liefdesninja,
Mijn vriendin is heel lief maar ontzettend plakkerig, en ik ben
verliefd op een ander meisje. Ik wil mijn vriendin geen pijn doen,
maar ik kan niet zonder mijn vrijheid. Bestaat er een manier om
van haar af te komen zonder haar pijn te doen?
Gevangene

Beste Gevangene,
Jouw probleem is er een dat vaak voorkomt, maar moeilijk op te
lossen is. Ik leg het aan de lezers voor om te zien of zij advies
voor je hebben. Succes!
Liefdesninja

Beste lezers,
De Liefdesninja heeft jullie hulp nodig! Wat is de beste manier
om iemand te dumpen zonder zijn of haar gevoelens te kwetsen?

**jen88:** dat gaat heus niet zonder haar pijn te doen. gewoon
zo snel mogelijk afhandelen.

**koala:** gevangene, heet je soms eigenlijk jonathan? probeer
je van me af te komen???

**sami666:** liegen, liegen en nog meer liegen. zeg tegen haar dat
je doodgaat, naar siberië verhuist, monnik wordt.
alles om van haar af te komen. als ze eindelijk
doorkrijgt dat het leugens waren is het te laat.

**poydog:** schrijf haar een brief. als je haar in levenden lijve
dumpt en ze begint te huilen, dan word je misschien
zwak en verander je van gedachten.

**spoony:** zeg tegen haar dat je zoveel van haar houdt dat het
pijn doet, letterlijk pijn. je slikt voortdurend
pijnstillers en de artsen zeggen dat je het uit moet
maken als je niet wilt dat je tegen je 18e alleen nog
maar vegeteert.

dollface: het is altijd verstandig om iemand voor wie je slecht
nieuws hebt, eerst te eten te geven. zet haar een
lekker maal voor en vertel haar dan dat je meer
ruimte nodig hebt. dat zal pijn doen, maar haar volle
maag werkt als verdoving.

Mooi zo, een op de zes antwoorden was zinnig, geen slecht resultaat. Holly besloot het advies van dollface op te volgen. Ze zou
met Rob gaan picknicken, en alles meenemen wat hij lekker vond.
Ze had even last van haar geweten toen ze eraan dacht hoe hij
die Jammie Hammie-sandwich door zijn strot had gewerkt, alleen voor haar. Misschien moest ze hem niet zo haastig dumpen.
Maar nee, het was de enige menswaardige oplossing. Als ze hem
bedroog zou ze hem nog veel meer pijn doen.

Maar het zou niet makkelijk worden.

'Waar zullen we de deken neerleggen?' vroeg Rob. Hij wees naar
een stuk gras. 'Wat dacht je van daar? Als jij hem niet ergens anders
wilt hebben.' Het was laat in de middag en Holly was met Rob naar
La Paz State Park gereden voor de grote uitmaakpicknick.

'Nee, daar is prima,' zei ze.

'Als jij het maar goedvindt,' zei Rob. 'Het is tenslotte jouw picknick. Misschien had je liever een zonnige plek.'

'Op deze plek is zon genoeg.' Holly probeerde haar irritatie te
bedwingen. Moest er nu echt overal een vn-debat van gemaakt
worden?

Ze spreidde de picknickdeken uit en maakte de mand open.
'Sandwich met ham?' vroeg ze. 'Echte ham dit keer, eerlijk waar.'

'Dank je.' Rob nam een hap en knikte. 'Mmm,' zei hij met volle
mond, 'heel wat beter dan dat namaakspul.'

'Mooi zo.' Ze had de sandwiches zelf klaargemaakt met sla, to-
maat, mosterd en vers boerenbrood van de beste bakker uit de stad.

Verder had ze pastasalade bij zich, en garnalensalade, fruitsalade, ijsthee en zelfgebakken brownies voor toe.

'Wauw, Holly, wat is dat lief van je,' zei Rob. Hij zakte onderuit op de deken. 'Wat is er te vieren?'

'Niets speciaals,' antwoordde ze. 'Moet ik een reden hebben om eens iets aardigs voor mijn vriend te doen?'

Daar scheen hij even over na te denken, wat haar nog meer irriteerde. 'Nou, je bent meestal heel aardig, maar niet zó aardig. Niet dat je niet heel, heel aardig bent. Maar dit gaat nog veel verder.'

Hij had een T-shirt aan waar SIT HAPPENS op stond, met een tekening van een hond eronder. Dat was zo'n irritant gezicht dat Holly er moed uit putte.

Ze aten door tot ze vol zaten. Rob werkte drie brownies weg, ging op zijn rug liggen, sloot zijn ogen en wreef voldaan over zijn maag. Het was zover.

'Weet je, Rob, ik vind je echt heel aardig,' zei Holly.

'Ik jou ook,' zei Rob. Hij deed zijn ogen open, draaide naar haar toe en wilde haar over haar hand aaien, maar raakte in plaats daarvan haar knie.

'Soms vergeet ik gewoon dat we nog zo jong zijn,' zei ze. 'We zijn nog heel jong.'

'Klopt. Nog een heel leven vóór ons,' zei Rob. Hij sloot zijn ogen weer en liet de zon zijn gezicht verwarmen.

'Te jong om ons tot één, eh, pad te beperken,' ging ze verder. 'Eén studiepad, één carrièrepad, één, eh, persoon.'

'Mm-mm.' Hij had zijn ogen nog steeds dicht. Het was moeilijk te zien wat hij dacht.

'Heb jij wel eens het gevoel dat je, ik weet niet, meer ruimte nodig hebt?' vroeg ze. 'Meer tijd voor jezelf, om te doen waar je zin in hebt?'

'Best wel.'

'Want dat gevoel heb ik ook wel eens,' zei Holly. 'En daarom denk ik dat we misschien aan een pauze toe zijn. Van elkaar.'

Rob bewoog niet. Hij deed zijn ogen niet open. Hij zei geen woord.

Holly plukte een sprietje gras en beet erop. Wat dacht hij? Kon hij elk ogenblik overeind springen en haar smeken bij hem te blijven? Rechtop gaan zitten en gaan huilen? Haar kalm vertellen dat hij er net zo over dacht?

'Rob? Heb je me gehoord?'

Eindelijk deed hij zijn ogen open. 'Ja. Tuurlijk heb ik je gehoord.' Hij ging zitten en nam een slokje ijsthee.

Dat was alles? Was dat zijn reactie?

'En wat vind je ervan?'

'Eh, best, wat je maar wilt,' zei Rob. 'Lijkt mij wel oké.'

Dit was te makkelijk. Ze had nooit verwacht dat hij er zo kalm onder zou blijven. Eerlijk gezegd had ze gedacht dat hij meer om haar gaf.

'Dus we zijn het eens?' vroeg ze.

'We zijn het eens.' Hij begon de picknickspullen bij elkaar te rapen. 'Geweldige picknick, Holly. Ik zit vol.'

'Dank je.' Dit was haast te gek voor woorden. Wat was hij, een of andere harteloze robot?

Hij hielp haar de deken op te vouwen en ze liepen naar zijn suv. 'Ik zal straks een stuk moeten gaan rennen,' zei Rob. 'Anders drijf ik morgen bij de zwemtraining als een aangespoelde walvis rond.'

Ze legden de spullen in de auto en hij bracht haar naar huis. Het was inmiddels avond geworden. Hij nam het echt goed op dat ze het had uitgemaakt. Bijna te goed om waar te zijn.

Ze stopten voor Holly's huis. Rob stapte uit en opende de achterklep zodat Holly haar picknickmand kon pakken.

'Nog eens bedankt voor de picknick,' zei hij. 'Is 't goed?'

Hij boog naar haar toe en kuste haar. Ze was er zo aan gewend met hem te zoenen dat ze eerst niet eens verbaasd was. Maar halverwege dacht ze opeens: ik zou er maar van genieten, want dit zou wel eens je laatste zoen van Rob kunnen zijn.

Toen ze uitgezoend waren bleef ze een paar seconden op de stoep staan wachten tot er iets gebeurde. Hij lachte naar haar en stapte weer in de suv. 'Tot morgen,' zei hij. 'Zin om dit weekend een filmpje te pakken of zo?'

Wat? Een filmpje pakken? Nam hij het niet een beetje te nonchalant op dat ze het had uitgemaakt?

'Eh, gaat niet,' antwoordde ze. 'Ik heb Lina en Mads beloofd –'

'Geen probleem,' zei hij. 'Ik bel je nog wel.'

Terwijl hij wegreed klemde ze haar picknickmand tegen zich aan. Wat was hier nu eigenlijk aan de hand? Had ze het niet net met hem uitgemaakt? Waarom leek hem dat volkomen te ontgaan? Hoe stom was hij wel niet?

# 8 Badmintonklapper!

Aan: linaonme
Van: Elke dag je horoscoop

Dit is je horoscoop voor vandaag: Kreeft: Ik kijk in mijn kristallen bol en zie... weer een kristallen bol. Dat is raar. Puzzel het zelf maar uit.

Lieve Lara,
Hoe was jouw dag vandaag? Nog goede films gezien de laatste tijd? Ha ha. Ik kijk elke dag uit naar je mail 's avonds. Vooral na een rotdag, want jouw mailtjes fleuren me helemaal op.
Was je professor tevreden over je werkstuk over Letse animatie? Ik moet bekennen dat ik nog nooit een film uit Letland heb gezien, dus ik weet er niet veel van, behalve wat jij erover schreef, maar dat klonk fascinerend. Ik had er geen idee van dat de Gilmore Girls op Letse sagen gebaseerd was.
Vandaag was het weer zo'n dag dat ik zin had het bijltje erbij neer te gooien en voorgoed met lesgeven op te houden. Een van mijn tiendeklassers had voor een herkansing (zijn project van het vorige semester was zo hopeloos dat ik hem wel een kans moest geven zijn cijfer op te halen, ik moet er niet aan denken dat hij blijft zitten) een verslag geschreven over een boek dat hij blijkbaar op zijn moeders nachtkastje had gevonden en dat 'Erotische fantasieën voor vrouwen' heette. Ik kon hem tegenhouden voor hij er te veel van voorlas, maar ik kreeg het gevoel dat alle jongens in de klas dat hele boek al uit hun hoofd kennen. Ze bleven maar suggestieve vragen stellen over wat ze moesten doen als er een knappe klusjesman zonder shirt aan binnen wil komen om zich even op te frissen of als de man die het zwembad bijhoudt een duik wil nemen. Het was een

nachtmerrie. Ik vraag me af of ik eens met hun ouders moet
gaan praten, maar dan zou ik het er eerst met 'Harrie Hark'
over moeten hebben en ik geloof niet dat ik nog een preek van
een halfuur aan kan over de paradigma's voor de empowerment
van leerlingen met als doel het bij hun ontwikkeling passende
abstractieniveau in hun denken te versterken.
Sorry dat ik zo doorzeur over school; dat zal jou wel gaan
vervelen, maar het is fijn om iemand te hebben tegen wie ik alle
frustraties van overdag kan luchten. Schrijf gauw terug en vertel
me alles over jouw dag. Ik vind het heerlijk om over jouw wereld
te horen, zo kan ik mijn eigen trieste werkelijkheid even
vergeten. Ik weet wel dat jij ook je problemen hebt, maar je
gaat er zo elegant mee om.
Beau

Lina was aan Dans mails verslaafd als een hyperactief kind aan
suiker. Ze schreven elkaar nu minstens eens per dag. Als Holly en
Mads ernaar informeerden, zei ze dat ze steeds minder mailden.
Dit kon ze echt niet meer met hen delen, niet als Holly en Mads
erom zouden lachen. En Lina wist zeker dat dat zou gebeuren.
Daar zou ze niet tegen kunnen. Daarvoor betekenden de mailtjes
te veel voor haar.

Ze kon merken dat hij er ook niet meer buiten kon, en daarvan
ging haar hart sneller slaan. Ze had altijd wel geweten dat hij haar
aardig zou vinden als hij zichzelf zou toestaan haar te leren kennen, en ze had gelijk gehad. Ze had het bewijs. Het was duidelijk
dat hij haar, nou ja, 'Larissa' dan, aardig vond en bewonderde, en
Lina meende dat ze tussen de regels door romantische gevoelens
voelde opbloeien. Hij wilde Larissa mee uit vragen, daarvan was
ze overtuigd. Als Larissa hem ook maar het kleinste snippertje
aanmoediging gaf, zou hij dat meteen aangrijpen. Maar zonder
haar aanmoediging was hij verlegen. Misschien had ze Larissa iets

te veel glamour gegeven. Ze had het gevoel dat hij haar een beetje intimiderend vond.

Maar die glamour was Lina's vermomming, en die durfde ze nog niet los te laten. Bovendien genoot ze ervan Larissa te zijn, openingen van galerieën bij te wonen, naar filmscreenings te gaan en met bezoekende filmmakers in bistro's te eten. Geen wonder dat Dan het allemaal prachtig vond. Dat vond ze zelf ook.

Intussen, terug in die 'trieste werkelijkheid', had Lina ook in de les gezeten die Dan beschreef, toen Karl Levine uit zijn moeders boek had willen voorlezen. Ze had aan Dans gezicht kunnen zien hoe slecht hij zich op zijn gemak voelde, en het vreselijk voor hem gevonden, maar de jongens gingen maar door. Het leek wel alsof ze met een of ander virus besmet waren, allemaal tegelijk, en niets was in staat hen te kalmeren. Maar het was heel raar om er later thuis in Dans mail over te lezen. In de klas liet hij niet veel merken, maar de lastige situaties waarmee hij te maken kreeg, zaten hem meer dwars dan ze had beseft.

Hallo Beau,
Wat rot dat je zo'n vervelende dag achter de rug hebt. Trek het je maar niet te veel aan wat je leerlingen doen. Ik weet zeker dat ze je graag mogen en respect voor je hebben. Maar soms haalt één jongen iets uit en dan krijgt dat een sneeuwbaleffect, en zou zelfs de beste leraar ter wereld dat niet kunnen tegenhouden. Zo ging dat heel vaak toen ik op de high school zat. Ik heb vandaag ook een frustrerende dag gehad. Eigenlijk wilde ik naar een seminar dat 'Freddy Prinze, Jr: Van Scooby-Doo tot Shakespeare' heette, maar de groep zat al vol voor ik kans had me in te schrijven. En professor Stockhauser zei dat hij nog geen tijd had gehad om mijn werkstuk over Letse animatie te lezen. En een vriendin van me geeft een groot feest, maar ik moet nog zoveel lezen dat ik er niet heen kan.

Ik hoop dat je morgen een leukere dag hebt. Misschien moet je vanavond eens een film kijken. Dat leidt mij altijd van mijn narigheid af, in elk geval een poosje. Waarom denk je dat ik een filmopleiding volg?

Lara

Waar moet dit naartoe, vroeg Lina zich af terwijl ze haar mail verzond. Hoe moet dit aflopen? Daar durfde ze nauwelijks over na te denken, maar tegelijkertijd kon ze aan niets anders denken.

'Kan er dan niemand hier op school een fatsoenlijk gedicht schrijven?' klaagde Ramona. Lina zat in de redactieruimte van de *Vuurvlieg* met haar en de andere leden van de Dan Shulman-sekte: Siobhan Gallagher, Maggie Schwartzman en Chandra Bledsoe. Samen vormden ze de voltallige redactie van het tijdschrift, afgezien van Dan Shulman, docent-adviseur. Ramona had Lina gevraagd erbij te komen zitten om een stel inzendingen door te lezen.

Ramona en haar vriendinnen droegen allemaal smalle dassen in diverse patronen om hun nek geknoopt. Dat was het symbool van hun sekte, een teken van hun verering van Dan. Eerst had Lina de pest aan die dassen, maar het idee erachter ging haar steeds meer aanspreken. Toch zou ze er zelf nooit een omdoen. Daarvoor was het veel te stom. Ze was benieuwd of ze Dan al waren opgevallen, en zo ja, wat er dan volgens hem achter zat. Ze wou dat ze hem dat in een mailtje kon vragen.

'Moet je dit horen,' zei Ramona, terwijl ze met een groene glitternagel tegen haar spookachtig witte wang tikte. '"Keith Carters wilde rit. Ik ben Keith Carter, dat is mijn naam, ik rij op mijn motor naar wereldfaam –"'

'Bluh. Afwijzen,' zei Chandra. Ze had met rode inkt een piepklein pentagram tussen haar ogen getekend.

'Dit is goed.' Siobhan hield een losgescheurd schriftblaadje omhoog dat volgeschreven was met paarse inkt. '"Mijn zogenaamd beste vriendin/heeft me verlaten/het gat dat ze in me achterlaat doet zeer/als een ontstoken tongpiercing/onder een dikke korst –"'

'Smerig,' zei Lina.

'Maar wel intens,' zei Ramona. 'Leg maar op de misschien-stapel.'

'Tot nu toe hebben we twee misschiens, stapels nee's en vijf ja's, die allemaal door onszelf geschreven zijn,' zei Maggie.

'Als we niet genoeg materiaal bij elkaar krijgen geven we dit nummer niet uit,' zei Ramona. 'Ik ga geen epos over een motorfiets publiceren alleen omdat we niks beters hebben.' Ze keek even naar Lina. 'Wat ben jij stil vandaag.'

Lina haalde haar schouders op. 'Ik zit gewoon te luisteren en van de profs te leren.'

'Ja ja,' zei Ramona. 'Ik ken jou. Je vindt ons een stelletje idioten. Dus je zit vast heel ergens anders met je hoofd.'

Lina trok haar mond in de overtuigendste glimlach die ze kon opbrengen. 'Nee, hoor. Mijn hoofd zit gewoon hier. Zie je wel?' Ze klopte op haar schedel om het goed duidelijk te maken. Ramona zou een hartverzakking krijgen als ze iets over 'Beauregard' te weten kwam. Een toevallige ontdekking zoals Lina was overkomen zou voor de sekte de Heilige Graal zijn, alleen te overtreffen door een liefdesverklaring van Dan aan een of meer van hen. Voor dat doel riepen ze allerlei betoveringen over hem af en voerden ze ceremoniën en rituelen uit om zijn hart te winnen, zonder veel resultaat. In elk geval niets dat opkon tegen een volwassen, intieme e-mailcorrespondentie met Dan.

Soms kwam Lina in de verleiding Ramona erover te vertellen. Ze wist dat zij het beter zou begrijpen dan Holly en Mads ooit zouden doen. Voor Holly en Mads was met Beauregard schrijven grappig, een kick. Maar voor Lina leek het bijna een echte liefdesrelatie, en Ramona was de enige andere persoon ter wereld die dat zou kunnen meevoelen.

Maar Lina wist dat ze het niet aan Ramona mocht vertellen. Al was het maar omdat ze er niet van op aan kon dat Ramona haar niet zou verraden. Tenslotte hield Ramona ook van Dan, en zou ze best jaloers kunnen worden.

'Krijgt Dan wel eens inspraak in welke gedichten jullie publiceren?' vroeg Lina. 'Hij is tenslotte een man. Misschien houdt hij wel van een motorepos.'

Ramona trok een gezicht. 'Ben je gek? Hij vindt dezelfde dingen mooi als wij.'

'Hoe weet je dat?' vroeg Lina.

'Dat weten we gewoon,' zei Ramona.

'We kunnen hem in onze kristallen bol zien,' zei Maggie. Ze vloog een stuk omhoog toen Ramona haar onder de tafel een schop gaf. 'Wat? Nou ja, Ramona kan dat.'

'Kristallen bol?' vroeg Lina.

'Nou, we probéren hem te zien,' gaf Ramona toe. 'We hebben een kristallen bol, en daar kijken we in. Soms kan ik zweren dat ik hem zie fietsen of koffie drinken.'

Lina keek de anderen aan, maar ze ontweken haar blik. Niemand zag iets wat daarop leek, wist ze. Maar ze speelden allemaal het spelletje mee, om Ramona niet kwaad te maken.

'Je moet vrijdag eens naar het museum komen,' zei Chandra. 'Dan is het onze rituele avond.'

'Mag ik eens raden,' zei Lina. 'Jullie betoveren elkaar om jullie haar een onnatuurlijk kleurtje te geven?'

'Daar ga ik maar niet op in,' zei Ramona. 'Omdat ik weet dat er ergens in jouw toekomst een flesje rode haarverf op je wacht. En als die dag aanbreekt, als je beseft dat je diep vanbinnen eigenlijk een roodhoofd bent, dan moet je weer aan die stomme dingen denken die je tegen ons hebt gezegd en dan heb je spijt.'

Vanwege haarverf? Als dat niet melodramatisch was...

'Op onze rituele avond voeren we de HDLC uit,' zei Chandra.

Toen ze Lina's niet-begrijpende gezicht zag vervolgde ze: 'De Heilige Dan Liefdesceremonie.'

'Vertel maar niet aan haar, Chandra,' zei Ramona. 'Om dat soort dingen geeft zij niks.'

Lina wilde doen alsof ze er niets om gaf, maar ze was nieuwsgierig.

'Dan nemen we een van zijn relikwieën...' zei Chandra. De sekte verzamelde aandenkens aan Dan zoals gebruikte koffiebekertjes, onopgegeten pizzaresten en uitgevallen haren om in het 'museum' tentoon te stellen. 'Die leggen we op het altaar, we steken hem in brand, en dan zingen we "Zie het licht in de vlam, zie de waarheid in het vuur, er is er maar één van wie je houdt, Chandra, Chandra. Zij is degene naar wie je verlangt." Alleen noemt iedereen dan zijn eigen naam in plaats van Chandra.'

'Serieus?' vroeg Lina. Het was nog stommer dan ze zich had voorgesteld.

'Maar we raken een beetje door onze relikwieën heen,' zei Maggie. 'We moeten morgen nodig naar de kantine. Hij laat altijd van alles op zijn dienblad liggen. Gebruikte servetjes zijn het best, omdat die zo goed branden.'

'Walgelijk,' zei Lina.

'Het zijn alleen maar Dans bacillen,' zei Maggie.

'Volgens mij begint het te werken,' zei Siobhan. 'Je had eens moeten zien wat hij op Ramona's laatste werkstuk had geschreven. Wat stond er ook alweer?'

'"Je vaardigheid in begrijpend lezen is bewonderenswaardig,"' declameerde Maggie. '"Maar van jou verwacht ik natuurlijk niet anders."'

'Wauw,' zei Lina. 'Bespreek de cateraar maar vast, dat huwelijk laat niet lang meer op zich wachten.'

'Dat is nou echt zoiets waarbij je tussen de regels moet lezen,' zei Ramona. 'En moet weten wat eraan vooraf is gegaan. De context.

Het zou een geheim signaal kunnen zijn. We doen dit weekend wel een handschriftanalyse om erachter te komen.'

'Ik zou dolgraag komen,' zei Lina. 'Maar ik moet mijn nagelriemen nodig bijwerken, en je weet hoe dat gaat, dat moet je niet te lang uitstellen. Oeps, dat is waar ook.' Ze sprong op en pakte haar tas. 'Ik moet mijn eerste wedstrijd verslaan voor de *Ziener*.' Ze was de vorige dag naar een redactievergadering geweest, waar ze van Kate Bryson haar opdracht had gekregen.

'Ooo, de *Ziener*,' zei Ramona spottend. 'En die papierverspilling noemen ze nieuws. Wat mag jij verslaan, een stelletje door testosteron gedreven sukkels die elkaar vijftig minuten lang met lacrossesticks te lijf gaan?'

'Nee, het meisjesbadminton,' zei Lina. 'Ik betwijfel of daar veel testosteron of te lijf gaan aan te pas komt. Maar als jullie het niet erg vinden, ik moet weg.'

'Je verbergt iets, Ozu,' riep Ramona toen Lina het lokaal uit liep. 'Je denkt dat ik geen macht bezit, maar dat doe ik wel. Ik weet wanneer er iets aan de hand is, en dat is nu zo. Maar op het moment dat ik moet weten wat dat is, zullen de godinnen me alles onthullen.'

Lina liep haastig de gang door om zo snel mogelijk bij die godinnenpraatjes uit de buurt te komen. En ze wilde ook niet te laat zijn voor haar eerste sportopdracht, al was het een teleurstelling geweest dat het alleen maar om een badmintonwedstrijd ging, en dan ook nog een onderlinge. In andere woorden, een wedstrijd die niemand iets kon schelen, behalve misschien de tien meisjes in de badmintonclub. En zelfs dat viel te betwijfelen.

'Uit!' riep de scheidsrechter, gymlerares Ginnie. Lina noteerde plichtsgetrouw in haar schrift: 'Zinderende wedstrijd tussen enkelspelers Bridget Aiken en Lulu Ramos. Stand: drie-nul voor Aiken. Ramos verspeelt de eerste service, vermoedelijk afgeleid door piepklein topje dat omhoogkruipt zodra ze haar racket opheft.'

'Ramos, tweede service,' blafte Ginny. Lulu, met een mond vol kauwgum, mepte zuchtend de shuttle in het net.

'Aiken serveert,' zei Ginny. Bridget plukte de shuttle uit het net en liep parmantig naar het serveervak. Lulu trok aan de zoom van haar rokje. Ze was een meisje vol tatoeages en met blond haar uit een flesje, en haar eigen donkere haarkleur zette alles op alles om zich tegen de peroxide te verdedigen. Lina had sterk het gevoel dat Lulu alleen maar op badminton zat omdat RSAOB-leerlingen drie jaar lang minstens één sport moesten beoefenen, en badminton was de gemakkelijkste. Anders dan de parmantige Bridget was Lulu geen badmintontype.

'En, hoe gaat het met je eerste opdracht?' Walker kwam naast haar op de vrijwel lege tribune zitten. 'Trek het je maar niet aan als dit de krant niet haalt. Dat ligt niet aan jouw manier van schrijven, het is nu eenmaal moeilijk om van een onderlinge badmintonwed-strijd een spannend verhaal te maken. Kate wil gewoon zien wat je ervan terechtbrengt.'

'Om eerlijk te zijn, ik had net een interessante invalshoek be-dacht,' zei Lina. 'Want wie zitten er nu eigenlijk in het badminton-team? Wat doet een meisje als Lulu hier, of Rania Burke, of Abby Kurtz?' Ze knikte naar Rania, een diva-achtige hiphopfiguur, en naar Abby, een zelfingenomen punkrocker met zo veel kettingen en ander metaal aan haar lijf dat ze rinkelde.

'Verplichte sport?' zei Walker.

'Precies. Maar moet je zien wat een bonte ploeg dat oplevert. Het badmintonteam zou in sociaal opzicht wel eens de veelzijdigste ploeg van de hele school kunnen zijn, en waarom? Omdat zo veel team-leden één ding gemeen hebben: ze hebben de pest aan sport.'

'Interessant,' zei Walker. 'De sport voor mensen die de pest aan sport hebben. Behalve Bridget dan. En haar vriendin Miriam.'

Bridget en Miriam waren de enige meisjes in de gymzaal die de officiële badmintonkleding in de kleuren van Rosewood droegen, wit en hardroze. De rest van het team was in T-shirt, afgeknipte jeans, nepleren mini, zo ongeveer alles behalve geschikte badmintonkleding. Maar omdat er vrijwel alleen onderling werd gespeeld en zelden tegen een team van een andere school, verspilde Ginnie haar energie niet met vasthouden aan de kledingvoorschriften. Het was al lastig genoeg het team op de training te laten verschijnen.

'Uit!' schreeuwde Bridget nadat Lulu eindelijk een service had geslagen die een punt opleverde. 'Haar voet kwam over de lijn!'

'Wat maakt dat verd–' begon Lulu, maar Bridget onderbrak haar met 'Als we op de achterbank van een auto aan het spelen waren, zou je wel beter opletten.'

'Bitch die je bent!' Lulu rende onder het net door en dook op Bridget, zodat die tegen de vloer sloeg. Ginnie ging tekeer op haar fluitje. 'Meisjes! Meisjes! Hou daar meteen mee op!'

'Wauw,' zei Walker. 'Daar heeft Lulu Bridget even lekker in het net geslagen. Misschien valt hier toch meer over te schrijven dan ik dacht.'

Lina nam een foto van Ginnie die de vechters uit elkaar haalde. 'We zullen de sportpagina eens op zijn kop zetten.' In haar schrift schreef ze: 'Badmintonklapper!'

'Meidengevecht, fantastisch. Maar ik moet de meisjesvoetbalwedstrijd gaan verslaan,' zei Walker. 'Nou maar hopen dat die net zo spannend is. Ik zie je nog wel.'

'Tot kijk,' zei Lina. Het werd weer rustiger in de gymzaal, en Ginnie diskwalificeerde Lulu vanwege onsportief gedrag. Game, set, match voor Bridget.

'Mooi zo,' snauwde Lulu terwijl ze de zaal uit stormde. 'Kan ik eindelijk uit die gaapfabriek weg.'

De volgende wedstrijd begon. Lina's gedachten dwaalden af. Wat zou Larissa nu aan het doen zijn? Ze zat in elk geval niet in een sportzaal te kijken naar meisjes die een shuttle heen en weer mepten. Misschien zat ze in een donkere bioscoopzaal aan Dan te denken.

Kon ze maar echt Larissa zijn. Zou alles dan niet veel mooier zijn?

# 9 Portretten

Aan:   mad4u
Van:   Elke dag je horoscoop

Dit is je horoscoop voor vandaag: Maagd: De oplossing voor een
lastig probleem komt uit een onverwachte hoek.

'Is dat je zusje?' vroeg Stephen. Het was middag en Mads en hij
waren zoals gewoonlijk in het tekenlokaal met hun project bezig.
Mads had portretfoto's genomen van haar moeder, haar vader, haar
zusje Audrey en haar broer Adam, die die week thuis was van college en daar nu de nerd uithing. Audrey van elf, de levende Bratz
Doll, poseerde in haar karakteristieke stijl: knalroze Juicy Couture
joggingbroek, een wit T-shirt (ter hoogte van de taille afgeknipt en
met een knalroze hart van glitters voorop), haar rossige haar in een
hoge paardenstaart met een knalroze fluwelen strik erom. Ze liet
haar beste Britney-imitatie zien, met uitgestoken onderlip (haar
idee van een pruilmondje) en haar handen op haar heupen.
    'Mankeert ze iets aan haar mond?' vroeg Stephen.
    'Nee,' zei Mads. 'Ze wil er sexy uitzien.'
    'Het lijkt eerder of er een bij in haar onderlip heeft gestoken.'
    'Weet ik. Zo poseert ze altijd. Wat vind je, zal ik haar zo tekenen
of proberen het wat te corrigeren?'
    'Dat hangt ervan af welk van beide de ware Audrey uitbeeldt,
zou ik zeggen.'
    'Absoluut die uitgestoken lip,' zei Mads.
    'Dan moet je haar zo tekenen.' Stephen keek de foto's door. 'Dat
is mijn vader,' zei Mads, en ze wees naar een opname van haar
vader aan zijn rommelige bureau in zijn werkkamer thuis. 'Hij is
arbeidsjurist.' Russell Markowitz' grijzende haar stond wijd om zijn
hoofd alsof het nog nooit een kam had gezien. Hij keek hen van-

achter zijn grote bril grinnikend aan.

'Lijkt me een aardige man,' zei Stephen.

'Klopt. Hij is zo aardig dat we hem voor de grap de Duistere Opperheer noemen.'

Stephen kwam bij een foto van een slanke vrouw met blond kroeshaar en een rood brilletje op, die met een siamese kat op schoot in lotushouding zat. 'Kapitein Mauw-Mauw? En je moeder zeker?'

'Wij noemen haar M.C.,' zei Mads. 'Kort voor Mary Claire. Ze is huisdierenpsychiater. Holistisch natuurlijk.'

'Uiteraard.' Er was nog één foto over. Een jongen van negentien met dik zwart haar en net zo'n bril als zijn vader, die met een van pijn vertrokken gezicht bij een tafel vol dode planten stond. 'Wie is dat?'

'Mijn broer Adam,' zei Mads. 'Hij staat op het punt me te vermoorden omdat hij mij had gevraagd voor zijn planten te zorgen als hij naar college was. Ik heb ze misschien één keer water gegeven. Je kunt wel zeggen dat ik ze vermoord heb. Ik heb nog geprobeerd hem te waarschuwen, ik heb nu eenmaal zwarte vingers. Vingers des doods. Heel anders dan Adam en M.C. Die kunnen alles laten groeien.'

Stephen legde de foto's op Mads' tekentafel. 'Het worden vast heel goede portretten,' zei hij. 'Ze vertellen allemaal een verhaal. Maar als ik jou was zou ik maar gauw beginnen. Je moet nog heel wat mensen in pastel vereeuwigen.'

'Moet je horen wie het zegt.' Ze knikte naar zijn slaapkamerinstallatie. 'Jij moet nog een hele klerenkast bouwen, en met kleren vullen.'

'Hoeveel portretten ga je eigenlijk tekenen?' vroeg Stephen.

'Nou, ik moet nog één foto nemen. Van Sean Benedetto.'

'Doe je hem ook?'

'Ja.' Ze glimlachte. 'Hij vraagt er gewoon om om in pastel te worden vereeuwigd. Vind je ook niet?'

Stephen haalde zijn schouders op. 'Het is jouw kunstproject. Hoe laat je hem poseren?'

'Dat weet ik nog niet,' zei Mads. Mijn familie en Lina en Holly ken ik zo goed dat het me geen moeite kost te bedenken hoe ik hun persoonlijkheid kan uitdrukken. Maar hoe laat ik die van Sean zien? Hij is zo'n complex iemand.'

'O ja?' vroeg Stephen.

'Absoluut,' zei Mads.

'Ik ken die vent niet. In wat voor dingen is hij geïnteresseerd?'

'Ik weet niet,' zei Mads. 'Feesten. Muziek.'

Ze liep naar het raam. In de verte kon ze de sportvelden van de school zien. Het meisjesvoetbalteam was rondjes aan het rennen en de jongenslacrosseploeg splitste zich om te trainen.

'Er zijn kunstenaars die sportmensen als inspiratie gebruiken,' zei Stephen. 'Degas schilderde dansers –'

'Hij zwemt ontzettend goed,' zei Mads. 'Misschien kan ik hem in zijn zwembroek laten poseren.'

Stephen lachte. 'In zijn zwembroek? Zou hij dat voor je doen?'

'Dat weet ik niet.' Maar hoe langer ze erover nadacht, hoe opgewondener ze werd. Het was ideaal. Ze zou er het middelpunt van haar expositie van maken. Misschien kon ze hem wel levensgroot tekenen!

Maar er zat wel iets in wat Stephen zei. Misschien kon ze Sean zo ver krijgen dat hij in zijn gewone kleren even stilstond om haar een foto te laten nemen. Maar hoe kreeg ze hem zo gek dat hij in zijn zwembroek poseerde?

# 10 De gruwelijke waarheid

Aan:   hollygolitely
Van:   Elke dag je horoscoop

Dit is je horoscoop voor vandaag: Steenbok: Vandaag gebeurt er iets verwarrends. Maar dat ben je nu toch wel gewend?

'Heb je de Eleven al eens gezien?' vroeg Mo aan Holly. Het was zaterdagavond en ze stonden in het Rutgers Roadhouse tegen de jukebox geleund te wachten tot de Kevin Eleven het kleine houten podium op kwam.

'Nee, nog nooit,' antwoordde ze.

'Je vindt ze vast goed. Ze zijn super om op te dansen.'

Holly keek naar de jongeren die de drie dollar toegang betaalden en de bar binnenstroomden. Het Roadhouse was een laag, krakkemikkig houten gebouw dat er al eeuwig stond. Je kon er pizza, hamburgers en bier krijgen, en 's avonds trad er meestal een band op. Voor dit concert gold geen toegangsleeftijd. Iedereen mocht naar binnen, maar om bier te krijgen moest je aantonen dat je oud genoeg was.

Ze herkende een paar mensen van school. Sean, met zijn langbenige blonde vriendin Jane, knikte vanaf de overkant van de bar naar Mo. Holly kreeg opeens door dat ze Sean nu al weken achtereen op feestjes en zo met Jane samen zag. Dat klopte niet met het gebruikelijke Sean-patroon van elke week een ander meisje. Ze vroeg zich af of dat Mads ook was opgevallen. Het was een nieuwe ontwikkeling, die Mads' kansen er niet beter op maakte. Niet als het serieus werd tussen Sean en Jane.

Autumn kwam binnen, gevolgd door Vince, Rebecca en David. Autumn stak haar hand in Vince's kontzak en hij deed hetzelfde bij haar. Ze paradeerden de zaak rond en bleven om de paar meter staan voor een lange, uitsloverige zoen. Autumn profiteerde volop van de situatie. Ze kreeg nooit genoeg aandacht, maar goed, dat wist iedereen al. De verrassing was Vince. Hij grinnikte als een filmster naar mensen die hij niet eens kende. Holly dacht altijd dat hij stil en verlegen was. Ze had verwacht dat hij Autumn misschien wat zou kalmeren. Maar het tegenovergestelde leek het geval: Autumn had hem opgepept. Ze zaten voortdurend aan elkaar. Er kwam een slow nummer uit de jukebox, en meteen drukte Autumn zich tegen Vince aan. Ze wiegden al zoenend heen en weer, ook al was er verder niemand aan het dansen. Dat vonden ze blijkbaar niet erg, mensen die niet aan het dansen waren, hadden meer tijd om naar Autumn en Vince te kijken en jaloers te zijn op hun hartstochtelijke liefde.

'Eh, jij hebt die twee toch bij elkaar gebracht, hè?' vroeg Mo.

Holly knikte. 'Ik ben bang dat ik een monster gecreëerd heb.'

'Dat kun je wel zeggen. Ik ga echt over mijn nek van dat stel.'

In gedachten was Holly alweer een nieuwe quiz aan het schrijven. Sommige mensen moesten nodig iets leren over hoe je je in het openbaar gedroeg.

### Ben jij een OVG-verslaafde?

Maken jij en je liefje iedereen misselijk met jullie voortdurende Openbare Vertoon van Genegenheid? Doe deze quiz om erachter te komen of jullie je misschien wat meer moeten inhouden! Geef elke uitspraak een **1** (niets voor jou), **2** (soms wel iets voor jou) of **3** (zo typerend voor jou dat het gewoon griezelig is).

1  **Jullie opvatting van een beleefde begroeting is over de volle lengte lichaamscontact.**

2  **Jullie brengen zo veel tijd mond-op-mond door dat je niet eens goed weet hoe je liefje eruitziet.**

3 Jullie gaan op feestjes altijd als laatste weg: jullie stoppen even om naar lucht te happen en dan is iedereen opeens al naar huis.

4 Als anderen jullie zien aankomen grijpen ze naar hun regenjas en paraplu.

5 Je weet wat je vriend heeft ontbeten zonder dat hij dat hoeft te vertellen.

6 Je poetst je tanden voor je haar belt voor het geval dat ze door de telefoon je adem kan ruiken.

7 Je zit zo onder de zuigzoenen dat ze je 'Roodhuid' noemen.'

Als je **7-10** punten hebt: KOUWE KIKKER. Je hebt geen OVG-probleem. Vermoedelijk zou je wel wat losser mogen worden. Je liefje snakt naar genegenheid!

Als je **11-16** punten hebt: NORMALE TORTELDUIFJES. Jullie zijn lief tegen elkaar zonder dat anderen over hun nek gaan. Jullie hebben elkaar, en jullie hebben geen behoefte daar de rest van de wereld ook nog bij te betrekken.

Als je **17-21** punten hebt: JAKKIE! Hou het een beetje privé, ja? Op wie proberen jullie eigenlijk indruk te maken?

De Kevin Eleven sprong eindelijk het podium op. De menigte ging tekeer. 'Hé,' zei Holly tegen Mo. 'Het zijn er maar vier. Geen elf.'

'Dat is juist de mop,' zei Mo. 'Volgens mij vinden ze het gewoon leuk dat het rijmt.'

'Staat er dan tenminste wel iemand op dat podium die Kevin heet?' vroeg ze.

'Eh, eerlijk gezegd niet. De leadzanger heet Cyrus.'

De band speelde een country-achtig rocknummer en er begonnen mensen te dansen. Mo pakte Holly's hand en ze swingden samen in het rond. Autumn en Vince hielden elkaar nog steeds stevig omstrengeld, ook al was dit geen slowdance.

Mo liet Holly net onhandig ronddraaien toen ze de deur open zag gaan. Er kwam een lange jongen met brede schouders en piekerig bruin haar binnen. Op zijn rode T-shirt stond: IK BEN MIJN BED UIT – WAT WIL JE NOG MEER?

O nee. Toch niet… Ja hoor, het was Rob.

Hij zag haar, zwaaide en wrong zich door de menigte naar Mo en haar toe. Mo had hem nog niet gezien en had dus nog niet door dat er narigheid op komst was. Holly daarentegen zag het maar al te goed.

'Hé!' zei Rob. Hij gaf Holly een zoen op haar wang alsof er niets veranderd was. 'Wat een geluk om jou hier te treffen. Hoe gaat-ie, Mo?'

Mo staarde hem even aan, hij snapte er duidelijk niets van. 'Best,' zei hij langzaam. 'Geloof ik.'

Rob pakte Holly's vrije hand beet en danste een paar passen met haar. Toen zei hij: 'Kom op, dan gaan we iets te drinken halen. Jij ook iets, Mo?'

'Ik hoef niks,' zei Holly.

'Ik ook niet,' zei Mo.

'Zeker weten? Oké, dan ga ik even een Red Bull halen.' Rob verdween naar de bar.

'Wat is dit verdomme, Holly?' vroeg Mo. 'Ik dacht dat je het had uitgemaakt.'

'Heb ik ook,' zei ze. 'Je had me eens moeten horen. Maar ik ben er eigenlijk niet zo zeker van dat híj me ook gehoord heeft.'

'Nou, ik geloof niet dat hij enig idee heeft hoe het ervoor staat,' zei Mo. 'Hij lijkt niet eens te snappen dat wij een date hebben. Zal ik even met hem praten?'

Dat was wel verleidelijk, maar Holly wist dat ze het zelf moest opknappen. 'Nee, bedankt, Mo. Sorry hiervoor.' Rob had zijn drankje en kwam weer naar hen toe. 'Ik zal er meteen iets aan doen. Wacht maar even.'

Ze liep Rob tegemoet. 'Kunnen we even naar buiten?' vroeg ze. 'Best. Wat je wilt.' Hij liep met haar mee de deur uit. Onder de lantaarn die de parkeerplaats verlichtte bleven ze staan.

'Hoe gaat het?' vroeg Rob. 'Ik heb je al een paar dagen niet gesproken.'

'Dat weet ik,' zei Holly. 'Zo gaat dat meestal als je het met iemand uitmaakt.'

Hij lachte maar wat. 'Doe niet zo maf, Holly. Kom op, dan gaan we weer naar binnen, om te dansen.'

'Toe, Rob,' zei ze. 'Je moet naar me luisteren.' Ze staarde naar zijn T-shirt om extra gemotiveerd te blijven. Naar dat shirt blijven kijken, zei ze tegen zichzelf. Alleen maar naar dat shirt...

'Je doet echt vreemd sinds die picknick,' zei Rob.

'Ja,' zei Holly. 'Die picknick. Weet je niet meer wat ik toen heb gezegd?'

'Eh... eigenlijk niet. Ik wist niet dat ik overhoord zou worden.'

Gefrustreerd fronste Holly haar wenkbrauwen. Die eerste keer was het al moeilijk genoeg geweest om het uit te maken. Dwong hij haar nu om het nog een keer te doen?

'Als je iets wilt zeggen, doe het dan, Holly. Net als anders. Met je Grinch-gezicht.' Hij grinnikte om haar te laten zien dat hij alleen maar plaagde.

'Weet je er echt niets meer van?' vroeg ze. 'Bijvoorbeeld dat ik vond dat we wat ruimte nodig hadden? En met anderen uit moesten gaan? In andere woorden, het moesten uitmaken?'

Hij keek stomverbaasd. Waarom deed hij zo? Hield hij zich van de domme om te voorkomen dat ze het echt uitmaakte? Of snapte hij echt niet wat ze wilde zeggen?

'Het uitmaken?' vroeg hij 'Waarom?'

'Het is niks belangrijks. Je bent een schat van een jongen. Maar al die kleinigheden –'

'Wat dan? Zeg op. Ik wil het weten.'

'Goed dan. Dat je altijd toestemming vraagt voor je me zoent. Daar krijg ik wat van. En dat je altijd zegt dat je wilt doen wat ik wil, en nooit zegt wat jíj wilt. Bijvoorbeeld, toch niet te geloven dat we zo'n tijd bij De Vega King hebben gezeten en dat jij niks zei!'

'Wat zou dat voor zin hebben gehad?' vroeg Rob. 'We zaten er nu eenmaal, dus ik wou er het beste van maken.'

'Dus moest ík erover beginnen –' begon Holly.

'Jij was tenslotte degene die erheen wilde,' zei hij. 'Waarom wou je erheen als je het daar niet lust? Ik snap je niet.'

'Ik wilde jou een lesje leren!'

'Een lesje? Wat voor lesje dan?'

'Dat je eens voor je mening uit moet komen!'

'Nou, je wordt bedankt. Daar zit ik echt op te wachten, op een lesje van jou, de Jammie Hammie Liefdesninja!'

Uh-oo, nu vroeg hij erom. 'Waarom zet je het niet op een T-shirt? Jij zegt alles als het maar op 100% katoen gedrukt staat!'

Zijn gezicht werd leeg, en toen bleek. Ze was eindelijk tot hem doorgedrongen, dat kon ze nu wel zien. Maar die blik van hem… die sneed door haar hart. Ze had zo haar best gedaan hem geen pijn te doen, en kijk eens wat ervan kwam. Ze had alles er op de allergemeenste manier uitgeflapt. En nu wilde ze dat ze alles terug kon nemen, ieder woord.

'Weet je, voor iemand die zo goed kan zeggen wat ze wil, heb je wel een hoop kritiek opgezouten,' zei Rob. 'Ik ben weg hier.' Hij draaide zich om en wilde naar zijn suv lopen. Toen bleef hij staan.

'Ik moet iets bekennen, Holly. Toen we aan het picknicken waren, en ik na het eten ging liggen, en jij tegen me aan het praten was? Nou, toen ben ik in slaap gevallen. Heel even maar. Maar dat was denk ik net toen jij zei dat je het uit wilde maken. En ik wilde jou niet kwaad maken door te bekennen dat ik in slaap was gevallen, daarom deed ik maar of ik het met je eens was. Nu weet ik wat ik gemist had. Het was belangrijker dan ik dacht.'

Hij stapte in de auto en reed weg. Holly keek hem na. Nu was het háár beurt om stomverbaasd te zijn. Hij slíep? Hij had haar helemaal niet gehoord? Dan was hij dus toch niet zo stom. Maar wel te laf om toe te geven dat hij in slaap was gevallen terwijl zij tegen hem zat te praten. Maar ja, was dat niet een deel van het probleem? Had hij toen maar iets gezegd, dan was dit allemaal niet nodig geweest.

Hij was in elk geval niet bang meer om te zeggen wat hij ergens van vond. Dat was wel duidelijk.

# 11 Lina gaat in de fout

Aan:  linaonme
Van:  Elke dag je horoscoop

Dit is je horoscoop voor vandaag: Kreeft: Je zwemt met een bloedende snee in je knie in water waar het stikt van de haaien. En je weet toch wel wat dat betekent? HAP!

Lina liep door de gang die uitkwam bij de redactieruimte van de *Vuurvlieg*. Kate Bryson had haar badmintonartikel zo goed gevonden dat ze er het hoofdartikel op de sportpagina van had gemaakt, boven de grote overwinning van het zwemteam. En ze had Lina overladen met opdrachten. Daarom had Lina besloten dat ze geen tijd meer had voor de *Vuurvlieg*; ze wilde zich liever op de *Ziener* concentreren. Dat moest ze nog wel aan Ramona vertellen, maar die zou het wel niet zo erg vinden, wist ze.

Ze hoorde vanuit de gang geen gekakel of luid gediscussieer, wat betekende dat Ramona en de sekte er wel niet zouden zijn. Ze gluurde naar binnen. Daar zat Dan aan een bureau Ramona's laatste aanbevelingen voor publicatie te lezen. Hij keek op toen Lina haar hoofd om de hoek stak.

'Hé, Lina,' zei hij. 'Wat kan ik voor je doen?'

Haar hart begon te bonzen, zoals altijd als ze met hem alleen was. 'Ik zocht Ramona eigenlijk.'

'Die is niet hier,' zei hij. 'Ik heb je artikel in de *Ziener* vanochtend gelezen. Goed werk. Ik ben niet zo'n badmintonfan, maar bij de volgende wedstrijd zie je me op de tribune. Samen met een heleboel andere kijkers, wed ik. Wie had kunnen denken dat badminton zo spannend kon zijn?'

Lina wist niet goed of ze moest lachen of knikken of iets intelligents zeggen, wat trouwens onmogelijk was omdat haar hersenen op tilt waren geslagen. Daarom haalde ze haar schouders maar op. Beauregard, ik ben het, Larissa, dacht ze terwijl haar voor de miljoenste keer opviel hoe oprecht die blauwe ogen van hem keken, zelfs als hij een grapje maakte. Zie je niet dat ik het ben?

Hij lachte naar haar. Hij zag het beslist niet. Hij was veel te relaxed. Voor hem was dit een doodgewoon gesprekje tussen leraar en leerling.

'Dan, daar ben je.' John Alvaredo, de directeur, verscheen achter Lina in de deuropening, zodat ze schrok. 'Hallo, Lina.'

'Hallo.'

'Moet je horen, Dan, we hebben morgen een cruciale intervisie om onze actieplannen voor de klassenleraren te recontextualiseren. Dan bespreken we de principes van Total Quality Management, dus als je de uitdraai die ik in je postvak heb gelegd nog niet hebt gelezen, kun je dat nu nog doen. Ik zeg het maar even.'

Lina meende heel even een glimpje vrolijkheid op Dans gezicht te zien, maar ze wist het niet zeker. Hij knikte ernstig en zei: 'Komt voor elkaar. Ik zal er zijn.'

'Mooi zo. Dan zie ik je bij de intervisie. Prettig lesgeven.'

'Hetzelfde,' zei Dan toen de directeur weer weg was.

Lina grijnsde. 'Tot kijk, Harrie.' Toen verstijfde ze. Nee toch. Harrie. Dans bijnaam voor meneer Alvaredo. Mademoiselle Barker en hij – en Larissa – waren de enigen die daarvan afwisten!

Ze keek naar Dan om zijn reactie te zien. Haar grapje scheen niet tot hem doorgedrongen. Misschien had hij haar niet gehoord. Ze had het nogal zacht gezegd...

'Als ik ooit net zo ga praten als hij heb je mijn permissie me neer te schieten, Lina,' zei Dan. 'Ik meen het. Verlos me dan maar uit mijn lijden.'

Had hij haar nu door of niet? Ze wist het niet. Hij leek niet van slag, maar goed, dat deed hij zelden.

'Eh, afgesproken,' zei ze. 'Nou, ik ga maar eens op zoek naar

Ramona. Misschien moet ik maar eens in de rook-wc kijken.'

Oeps... alweer een uitglijer. De leerkrachten werden niet verondersteld op de hoogte te zijn van de rook-wc – ingesteld door de 'bad girls' – in de kelder van de school. Maar Dan ging er niet op in. Misschien wisten de geschikte leraren het best en wilden ze er niet moeilijk over doen.

Hij ging door met lezen. 'Oké. Ik zie je wel weer in de klas.'

Zo snel ze kon liep Lina weg, haar hart bonkte. Dat was op het nippertje! Stel je voor dat hij door had gekregen dat zij Larissa was! Maar als hij het achteraf nu eens doorkreeg? Wat moest ze doen?

Ze kon niets doen, behalve wachten. Zijn volgende mail zou duidelijkheid geven.

Lieve Lara,

Weer een zware dag. Toen ik vanochtend naar school fietste, brak mijn ketting. Ik moest met mijn fiets naar huis teruglopen, mijn handen en mijn broek schoonmaken, want die zaten onder het vet, me verkleden en toen met de auto naar school gaan. Natuurlijk was ik te laat. En dat was nog maar het begin. Maar naarmate de schooldag ten einde liep en elke minuut me dichter bij een nieuwe mail van jou bracht, ging het beter. Je hebt geen idee hoeveel onze correspondentie voor me betekent. Toen ik vanavond langs de supermarkt ging om boodschappen voor het eten te doen, drong het opeens tot me door. Ik liep te neuriën, ik kocht bloemen... ik voelde me net of ik vanavond ging koken voor iemand die me heel dierbaar was. In werkelijkheid was het alleen voor mij en de kat van de buren, die 's avonds rond etenstijd altijd graag even langskomt. Maar ik had het gevoel dat er nog iemand aan tafel zat. En dat was jij. Ik voelde me niet alleen, omdat ik wist dat ik na de afwas aan mijn laptop zou gaan zitten om jou weer te schrijven. Ik hoop niet dat je vindt dat ik te hard van stapel loop, maar

met elke dag die voorbijgaat word ik nieuwsgieriger naar je.
Alles aan jou interesseert me. En onwillekeurig vraag ik me af:
hoe zie je eruit? Je hebt mijn foto gezien bij mijn profiel op De
Lijst. Als jij er geen bezwaar tegen hebt, zou ik er dolgraag ook
een van jou zien. Wil je mij er een sturen? Alleen als je het niet
vervelend vindt natuurlijk. Alles aan jou vind ik leuk, niet alleen
hoe je eruitziet.
Goed, lieve Lara, milaya Lara, zoals ze in het Russisch zeggen
(dat heb ik aan een vriend gevraagd), ik wens je weer welterusten, slaap lekker.
Je Beau

Ik val in zwijm, dacht Lina duizelig van opwinding. Voor het eerst
in mijn leven begrijp ik goed wat 'in zwijm vallen' betekent.

Zijn mails werden met de dag beter. En dit was de beste tot nu
toe.

Hij is gek op me! dacht ze. Op haar, bedoel ik. O, ik weet niet meer
wat ik bedoel!

Hij schreef niets over Harrie Hark, of meneer Alvaredo, of hoe
vreemd het was dat een leerling zijn geheime bijnaam voor de
directeur kende. Misschien heeft hij het niet gemerkt, dacht ze.
Misschien kon het hem niks schelen.

Hoe dan ook, het zag ernaar uit dat ze niet ontmaskerd was. Maar
wat liet je die kleinigheden makkelijk glippen. Als ze niet ontdekt
wilde worden zou ze voortaan nog voorzichtiger moeten zijn.

Maar nu zat ze met een nieuw probleem. Hij wilde een foto zien! Ze
had kunnen weten dat dat ooit zou gebeuren. Wat moest ze doen?

Er niet op ingaan, besloot ze. Ze zou zijn eerste verzoek om een
foto gewoon negeren. En als hij er nog eens om vroeg zou ze wel
iets verzinnen. Of aan een foto van iemand anders zien te komen,
een vriendin van Piper of zo, die ze hem kon sturen. Daar maakte
ze zich wel druk om als het zover was. Hij klonk alsof hij best zou

begrijpen dat ze misschien liever geen foto's van zichzelf aan zomaar iemand op internet wilde sturen. En dat was niet meer dan redelijk. Behalve dat haar e-mails aan hem – net zoals de zijne aan haar – steeds vertrouwelijker werden, en het vanzelfsprekend leek om op dit moment een foto te sturen.

Ze wilde dat ze hem kon vertellen hoe het zat als ze hem op school zag. Ze wilde dat ze alles goed kon maken.

Maar ze wist dat ze alles kon bederven door hem de waarheid te vertellen. En ze kon haar Beau nog niet verliezen. Nog niet.

# 12 In liefde en kunst is alles geoorloofd

Aan: mad4u
Van: Elke dag je horoscoop

Dit is je horoscoop voor vandaag: Maagd: De grens tussen geniaal en geschift is vaag, maar jij bent al lang en breed aan de geschifte kant terechtgekomen.

Mads had een plan. Die woensdagmiddag trok ze Lina mee het Zwemcentrum in. Het was er een kabaal van geschreeuw, gefluit en geplons, de geluiden van het jongensteam en het meisjesteam die tegelijk aan het trainen waren.

'Dit gaat tegen alle journalistieke ethiek in, Mads,' protesteerde Lina, die met tegenzin mee kwam.

'Dan moet je het niet als journalistiek zien,' zei Mads. 'Dit gaat niet om journalistiek. Het gaat om liefde! En kunst. In liefde en oorlog is alles geoorloofd, en ik weet zeker dat dat voor kunst ook geldt. Dat zou jij als dichteres toch moeten weten.'

'Misschien...'

'En trouwens, als je wilt kun je hem echte vragen stellen. Misschien houd je er wel echt een artikel aan over,' zei Mads.

'Ik zie niet direct een goede invalshoek,' zei Lina. 'Al zou "Tiendeklasser gebruikt trucs om hunk voor sexy foto te laten poseren" een mooie kop kunnen zijn.'

'Toe nou, Lina,' zei Mads. 'Kom nou niet met die journalistieke normen aan. Ben je dat stukje over die "Badmintonklapper" dan al vergeten?'

'Nou ja, zolang we er niemand mee benadelen...'

'Precies. Kom op, daar is Sean.'

Hij kwam net uit de jongenskleedkamer en was zijn zwembrilletje aan het afstellen. Mads vond het heerlijk om hem in zijn zwembroek te zien. Hij was slank en gespierd, maar niet té, en zelfs met zijn ruige blonde haar onder zijn badmuts gestopt zag hij er cool uit. Door die badmuts zag je alleen maar beter wat een knap gezicht hij had.

Mads en Lina liepen over de tribune naar hem toe, maar voor ze er waren, klonk er een fluitje en hees Rob zichzelf uit het water. Druipend stond hij voor hen. Pijnlijk. Heel pijnlijk.

'Hoi, Rob,' zei Mads. Ze mocht hem nog steeds graag, ook al had Holly hem gedumpt. Mads en Lina verklaarden Holly allebei voor gek.

Hij had geen badmuts op en zijn dikke, bot afgeknipte haar plakte aan elkaar als het nat was. Hij leek net een pup die in bad was gedaan. 'Hoi,' zei hij. 'Wat doen jullie hier?'

'We zijn op een missie,' zei Mads. 'Eh, een journalistieke missie.'

'Cool, zeg. Hoe gaat het met Holly?'

'Hoe het met Holly gaat?' herhaalde Mads. 'Eh, geen idee. Hoe gaat het met haar, Lina?'

'Best,' zei Lina. In werkelijkheid zat het Holly helemaal niet lekker hoe ze het met Rob bij het Rutgers Roadhouse had aangepakt. Mads en Lina hadden de dag erna het hele verhaal te horen gekregen. Toch was Holly ervan overtuigd dat het zo het beste was. Alleen van de manier waarop had ze spijt. Rob zou voorlopig wel niet met haar willen omgaan, en misschien wel nooit meer.

'Moeten we haar de groeten van je doen?' vroeg Mads.

'Nee,' zei Rob. 'Zeg maar niet dat ik naar haar gevraagd heb.'

Toen brulde de coach: 'Terug het water in, Safran! Schoolslag!' Rob dook en zwom weg.

'Kom op, gauw naar Sean voor de coach hem te pakken krijgt,' zei Mads. 'Je kent het plan.'

Ze hielden hem tegen voor hij bij het bad was.

'Hoi, meiden,' zei hij. 'Was er wat?'

Mads gaf Lina een por met haar elleboog. 'Ik, eh, hallo Sean, ik weet niet of je me kent, ik ben Lina Ozu en ik ben sportverslag-gever voor de *Ziener*.'

'Ja hoor, ik heb je wel eens gezien,' zei hij, en toen tegen Mads: 'Hoi, ukkie.'

Sean noemde Mads al 'ukkie' vanaf het moment dat hij door-kreeg dat ze bestond, wat even had geduurd. Eerst zat het haar dwars dat hij maar niet leek te kunnen onthouden hoe ze heette, maar ze besloot het maar leuk te vinden. Het had eigenlijk wel iets liefs.

'We doen een groot artikel over het zwemteam,' zei Lina. 'Heb je een minuut of wat voor een interview?'

'Ja, hoor, geen probleem.' Hij sloeg zijn armen over elkaar. 'Vraag maar op.'

De coach kreeg hem in het oog, blies op zijn fluit en riep: 'Be-nedetto, het water in, nu!'

Nee! Zo snel wilde Mads hem niet kwijtraken. Ze had nog niet één foto. Maar ze had zich niet druk hoeven maken. Laat alles maar aan Sean over.

'Dit is belangrijk, coach,' riep hij terug. 'Ik kom er zo aan.'

Tot Mads' stomme verbazing liet de coach het erbij.

'Eh, Sean, ik neem foto's voor de krant,' zei ze. 'Daar heb je toch geen bezwaar tegen? Zo'n artikel werkt veel beter met een goede illustratie erbij. Ja toch, Lina?'

'Ja,' zei Lina. Ze moest moeite doen om een vraag te bedenken die een beetje echt klonk. 'Eh, hoe ben je met zwemmen begonnen?'

'Ach, net als iedereen moest ik toen ik nog klein was van mijn moeder op zwemles...'

Mads draaide als een vlieg om hen heen om hem vanuit ver-schillende hoeken te fotograferen. Hij leek zich erg van de camera bewust en volgde hem met zijn ogen, zelfs onder het praten.

'Mag ik er een nemen terwijl je met je handen op je heupen staat?' vroeg Mads. Hij aarzelde, maar Lina leidde hem af met: 'En nu ben je toch de ster van het zwemteam?'

Hij ging staan zoals Mads had gevraagd. 'We zijn in de eerste plaats een team, en in de tweede plaats individuen. Het team is de ster van het team. Wacht even. Slaat dat ergens op?'

Lina knikte. 'Mm-mm. Ja hoor.'

'Kun je je spieren spannen, Sean?' vroeg Mads, die de ene foto na de andere nam. Ze hield even op om de houding die ze bedoelde voor te doen: beide armen naar buiten gebogen, handen tot vuisten gebald, biceps gespannen. Zoals Popeye nadat hij spinazie heeft gegeten.

Sean ging in Popeye-houding staan en deed er zonder dat ze het vroeg nog een Mr. Universe-achtige draai bij. Hij luisterde niet meer zo goed naar Lina's vragen en ging steeds meer voor de camera spelen – precies wat Mads wilde. Hij deed zijn zwembrilletje voor en trok een gezicht als een beroepsworstelaar. Hij deed zijn badmuts af en schudde zijn haar uit. Hij stak als een kampioen zijn armen omhoog.

'Ik wou je nog wat vragen,' zei Mads. 'Over een paar weken geef ik een feest, vlak na de Kunstexpo. Een soort afterparty, zeg maar. Kom je ook? Je mag net zoveel vrienden meebrengen als je wilt.'

'Na de Kunstexpo?' Hij hield even op met poseren om de volle sociale agenda in zijn hoofd te raadplegen. 'Dat is toch een vrijdag?'

'Klopt,' zei Mads. 'En het wordt een superfeest.'

'Klinkt cool, maar ik kan niet. Alex geeft die avond ook een feest,' zei hij. 'Ik heb hem al beloofd dat ik kom. Je weet hoe dat gaat. Je moet achter je eigen mensen staan.'

Mads liet bijna haar camera vallen. Alex Sipress gaf een feest op dezelfde avond als zij? Alex zat in de twaalfde en was haast even populair als Sean. Zijn feest zou iedereen die iets voorstelde bij het hare vandaan houden. Uitgesloten dat er coole mensen naar haar zouden komen. Zelfs de minder coole mensen zouden als ze konden kiezen liever naar Alex dan naar Mads gaan. Haar grote feest ter afsluiting van de Kunstexpo zou de afgang van het jaar worden.

'Ik geloof dat ik zo wel genoeg heb,' zei ze. Het nieuws van Alex' feestje had haar enthousiasme voor fotografie voorlopig bekoeld. Ze had trouwens toch meer dan genoeg goede opnamen.

'Mooi,' zei Lina. 'Bedankt voor het interview, Sean.'

'Maar je hebt eigenlijk nauwelijks iets gevraagd,' zei hij. 'Kun je daar wel een heel artikel uit halen? Je hebt niet eens naar mijn overwinning op de driehonderd meter vrije slag van vorige week gevraagd. En al die zomers dat ik in het country club team zat dan?'

'Ik bel je wel als ik nog meer nodig heb,' zei Lina. Ze kneep Mads in haar arm en fluisterde: 'Kom mee, wegwezen hier.'

De coach blies weer op zijn fluitje en brulde: 'Heb je eindelijk eens tijd om dat knappe koppie van je nat te maken, Benedetto? Als de donder in het water!'

'Tot kijk, meiden.' Sean liep het cement over. Bij de rand van het zwembad bleef hij staan en keek om. 'Wanneer komt dat artikel erin?'

'Eh, binnenkort,' zei Lina. 'Dat hoor je nog wel.'

'Cool.' Hij dook het water in. Lina en Mads maakten dat ze het Zwemcentrum uit kwamen.

'Ik kan mijn feest net zo goed meteen afzeggen,' zei Mads. 'Er komt geen mens!'

'Ik wel,' zei Lina. 'En Holly. En al je andere vrienden.'

'En dan zitten jullie allemaal de hele tijd te wensen dat jullie op Alex' feest waren. Ik wel tenminste. Zo missen we alle actie!'

'Kalm nou maar, Mads. Er is hier in de stad heus wel ruimte voor meer dan één feest.'

'Niet waar,' zei Mads. 'Daarvoor zijn hier niet genoeg coole mensen. De vraag is: hoe een grote trekpleister kan een feest bij mij thuis zijn? Krijg ik de mensen die ertoe doen naar mijn huis? Kan ik stoelen vol krijgen?'

'Waar heb je het over?'

'Hiermee wordt mijn sociale macht pas echt op de proef gesteld, Lina,' zei Mads. Die proef kon ze nooit doorstaan. En dat wist ze.

# 13 Crisis in Rutgers Street

Aan:  hollygolitely
Van:  Elke dag je horoscoop

Dit is je horoscoop voor vandaag: Steenbok: Trek vandaag maar schoenen met rubberzolen aan – er staat je een schok te wachten.

'Vinden jullie Barton Mitchell leuk?' vroeg Holly. Ze kwam met Lina en Mads een winkel in Rutgers Street uit op weg naar Ruby's, een café verderop in de straat, waar ze wilden gaan eten. Mads en Lina hadden met haar afgesproken om na de fotosessie met Sean te gaan winkelen.

'Hoezo?' vroeg Mads. 'Wat mankeert er aan Mo?'

'Er mankeert niet echt iets aan hem,' zei Holly. 'We zijn maar één keer samen uit geweest. Maar ik weet niet of hij wel geschikt is om mee te gaan. Is jullie wel eens opgevallen hoe hij op zijn tanden zuigt? Zo.' Ze stak haar tong voor haar voortanden en maakte een pieperig zuigend geluid. 'Niet de hele tijd. Maar het is niet iets wat je graag hoort, zelfs niet af en toe.'

Mads en Lina rolden met hun ogen naar elkaar. 'Dat zag ik,' zei Holly. 'Ik weet best dat jullie mij te kieskeurig vinden. Maar ik kijk gewoon goed uit. Ik heb geen zin om iets met een jongen te beginnen als hij niet de ware is, om hem dan later pijn te moeten doen. Dat is toch juist verstandig?'

'In zekere zin wel,' zei Lina. 'Maar hoe kom je er nou achter of je echt iets voor iemand voelt als je niet eerst iets met hem krijgt? Iedereen heeft irritante gewoonten. Als je je daardoor laat afschrikken vind je nooit iemand naar je zin.'

Ze naderden de bioscoop, de Carlton Bay Twin. Een van de dingen die Holly fijn vond aan Carlton Bay was dat er geen grote winkelcentra en geen megabioscopen waren. Een stukje buiten de plaats was een grote mall met een bioscoop van twaalf zalen, maar hier in Rutgers Street was de oude Carlton Bay Twin nog gewoon open, net als in de jaren vijftig.

De deuren gingen open en het publiek stroomde naar buiten. Het was tegen zessen en de tweede middagvoorstelling was net afgelopen. Holly, Lina en Mads liepen tussen het gedrang op de stoep door.

'We kunnen beter zorgen dat we vóór deze meute bij Ruby's zijn,' zei Holly. Ruby's was een geliefde tent voor na de film.

Vlak voor hen kwam een stelletje de bioscoop uit. De jongen had een bekende bos bruin haar. Hij droeg een T-shirt met de tekst HEB IK SOMS IETS VAN JE AAN?

Holly bleef stokstijf staan en greep allebei haar vriendinnen bij hun arm. 'Dat is Rob.'

En hij had een meisje bij zich. Christie Hubbard, uit de negende klas. Ze liepen voor Holly, Lina en Mads over de stoep. Rob had hen niet gezien. Christie zei iets tegen hem en hij lachte.

'Wat doet hij nou met háár?' riep Holly. Haar bloed joeg door haar aderen. Ze was verbaasd over haar eigen reactie, maar het eerste wat ze dacht toen ze Rob zag was: hij is van míj. Er kwam een hevig bezitterig gevoel in haar op. Rob liep over straat met een ander meisje, en dat klopte niet.

'Misschien zijn ze gewoon bevriend,' zei Lina.

'Ze is vast lesbisch,' zei Mads.

Holly gluurde naar Christie. Ze was een stevig gebouwd meisje met blonde krullen en ze droeg een zonnejurk met een wijde rok. Lesbisch? Zou dat niet té gemakkelijk zijn? 'Betuttel me niet zo, Mads.'

'Oké, kalm aan, Holly,' zei Lina. 'Ze zal Rob wel mee naar de film hebben gevraagd, echt zo'n naïeve negendeklasser, weet je wel, en hij wilde haar niet kwetsen en trouwens, jíj hebt hem net gedumpt, dus –'

'Daar ga ik me niet beter van voelen, Lina,' zei Holly.

'Ze probeert je alleen maar duidelijk te maken dat je niet in paniek moet raken,' zei Mads. 'Je weet nog helemaal niet of er iets is om je druk om te maken.'

Maar de woorden waren haar mond nog niet uit of Christie gaf hun iets om zich druk om te maken. Iets heel duidelijks. Een kristalhelder signaal.

Ze sloeg haar armen om Rob heen en gaf hem een dikke, natte zoen. En hij hield haar niet tegen. Hij scheen het zelfs wel fijn te vinden.

Holly verstijfde. Alle organen in haar lichaam veranderden in ijs. Nee. Dat kon niet. Hoe kon hij een ander meisje zoenen?

'O – my – god,' hijgde Mads.

'Niet te geloven,' zei Holly. 'Hij heeft een nieuwe vriendin? Nu al?'

Rob en Christie lieten elkaar los, wreven hun neuzen tegen elkaar en zoenden elkaar toen opnieuw. Holly drukte zichzelf tegen de muur van de bioscoop om niet door hen gezien te worden als ze soms omkeken. Maar die kans leek klein. Ze hadden alleen maar oog voor elkaar.

Hand in hand liepen Rob en Christie verder. Holly voelde tranen in haar ogen. Ze schrok van haar eigen reactie. Ze had er geen idee van gehad dat ze zo aan Rob gehecht was.

'Holly? Gaat 't?' vroeg Lina.

'Waarom ben je zo van slag?' vroeg Mads. 'Ik dacht dat je hem niet leuk meer vond?'

'Ik heb me vergist,' zei Holly. 'Ik heb een fout gemaakt. Een grote fout. Ik wil Rob terug.'

En zo weet je of hij de ware is, begreep ze opeens. Als je er kapot van bent als je hem met een ander ziet.

# 14 Een voorstel

Aan:   linaonme
Van:   Elke dag je horoscoop

Dit is je horoscoop voor vandaag: Kreeft: Sinds wanneer neem jij zulke giga risico's, Kreeft? Ik mis dat angsthaasje dat je vroeger was. Maar wacht maar, straks verstop je je weer onder de dekens.

Lieve Lara,

Dus je bent aan je eerste script bezig! Wat spannend! En wat zul je je gevleid voelen dat Steven Spielberg heeft gevraagd of hij het mag lezen. Hoe ver ben je? En waar gaat het over? Als het mag zou ik het dolgraag willen lezen als je het af hebt. Je hebt echt geluk dat je zo veel talent hebt en bezig bent met iets wat je zo graag doet. Als je dertig bent, ben je beroemd, wed ik. Misschien op je vijfentwintigste al!

Hier gaat alles moeizaam verder. Ik kom net van een eindeloze lerarenvergadering over een of andere nieuwe test waar de staat Californië ons mee opzadelt. Wat kan die Harrie Hark toch oeverloos doorkletsen over niets. Camille gaf een briefje aan me door: 'Maar goed dat ik een levensverzekering heb, want ik verveel me dood bij die Harrie.' Haar briefjes zijn het enige waardoor ik tijdens die vergaderingen niet in slaap sukkel.

Ik begrijp waarom je me nog geen foto hebt gestuurd. Dat denk ik tenminste. Maar dat maakt mijn volgende verzoek des te moeilijker. Ik hoop dat je je er niet door onder druk gezet voelt. Maar Lara, Larissa, ik zou je zo ontzettend graag in het echt ontmoeten. Door de manier waarop we elkaar schrijven weet ik dat we gemakkelijk urenlang met elkaar zouden praten, en dat we op zijn minst zonder enige moeite vrienden zouden kunnen worden. Ik zet je niet onder druk, natuurlijk heb je alle vrijheid om nee te zeggen, en als je dat doet vind ik het nog steeds geweldig om je alleen online te kennen, als virtuele vriendin. Maar als jij ook benieuwd naar mij bent en genoeg moed kunt verzamelen stel ik het volgende voor: laten we ergens samen lunchen. Kies jij maar een plaats, ergens waar je je op je gemak voelt. Wat vind je?

We schrijven elkaar nu al weken. Voor mijn gevoel zit het goed. Maar doe jij maar wat jou het beste lijkt. Ik beloof je dat ik er begrip voor heb, wat je ook besluit.

Goed, nu moet ik maar weer eens wat werk gaan nakijken. Ik lijk tegenwoordig van e-mail naar e-mail te leven; jij bent op het moment echter voor me dan al het andere in mijn leven.

Welterusten, Larissa. In mijn dromen ontmoet ik je weer...

Beau

Zodra Lina van haar avondlijke Beauregard-bezwijming bijkwam raakte ze in paniek. Het was zover. De kans waarop ze had gewacht, en waar ze als de dood voor was.

Ze was niet ingegaan op zijn verzoek om een foto, en hij was er geen tweede keer over begonnen. Ze dacht dat ze door het oog van de naald was gekropen. Maar nu wilde hij haar ontmoeten. En zij wilde niets liever dan met hem lunchen. Stel je eens voor dat ze met hem aan een tafeltje zat, in zijn ogen keek, eindelijk een echte date met hem had! Maar hoe kreeg ze dat voor elkaar? Wat zou hij doen als hij haar zag en begreep hoe het zat?

Dit was serieus. Ultraserieus. Meer dan ooit moest ze dat hele Beau-gedoe geheim houden, zelfs voor Holly en Mads. En al helemaal als ze met hem afsprak voor de lunch. O god, moest ze het wel doen? Ze wilde niets liever. Hoe kon ze, na alles wat ze met hem had doorgemaakt, met zichzelf leven als ze er nooit achterkwam hoe het zou gaan? Nu hij had gezien hoe volwassen ze kon zijn – tenslotte had ze zich als studente voorgedaan – en hij al half verliefd op haar was, zou hij misschien eindelijk begrijpen dat ze echt voor elkaar bestemd waren. Leeftijd speelde geen rol. Zo groot was het verschil tussen hen niet eens. Tien jaar, niets! Als hij negentig was en zij tachtig zou niemand het vreemd vinden.

Oké, besloot ze. Ik doe het. Ik moet het doen. Ik heb geen keus. Dit is mijn grote kans op een ontmoeting met de man van wie ik al het hele jaar droom! Hoe kan ik die voorbij laten gaan?

Toen ging ze over de praktische kanten van de zaak nadenken. Ze moest een restaurant kiezen waar ze elkaar zouden ontmoeten. Hij verwachtte dat ze iets in de stad zou voorstellen, wat positief was: daar liepen ze minder risico gezien te worden door iemand die hen kende. Het probleem was dat ze daar nu ook weer niet zó bekend was. Waar konden ze elkaar treffen?

Ze ging online en zocht een website met restaurants in San Francisco. Niet iets wat te chic of te duur was, dat zou Dan maar afschrikken. Hij had gezegd dat hij geen veeleisend meisje wilde, en dat was Lina ook niet. Maar ze wilde ook niet dat het hoogtepunt van haar leven in de eerste de beste smerige kroeg plaatsvond. Het moest wel romantisch zijn.

Ten slotte vond ze een zaak die ideaal klonk. The Garden Restaurant, met een begroeide achtertuin, redelijke prijzen en open voor de lunch, pal in het centrum.

Lieve Beauregard,
Leuk dat je naar mijn script informeert. Het gaat goed. Ik zal je er alles over vertellen als we elkaar ontmoeten.
Ja, ik ben tot de conclusie gekomen dat je gelijk hebt, het is tijd dat we elkaar ontmoeten. Ik weet wel dat je vindt dat ik zo'n leven vol glamour heb, maar jouw mails zijn fijner dan mijn studie of feesten of films of het mooiste boek. Ik leef voor jou mailtjes. En ik ben heel benieuwd je te ontmoeten. Ik hoop dat je niet teleurgesteld zult zijn als je me ziet. Ik weet niet hoe je je

mij in levenden lijve voorstelt, maar ik zou wel eens anders
kunnen zijn dan je verwacht.

Ben je aanstaande zaterdag vrij? Want dan weet ik een zaak in
het centrum waar we elkaar zouden kunnen treffen, The Garden
Restaurant, om één uur. Laat even weten of je het daarmee eens
bent.

Nu moet ik eens verder met mijn script. Ik kan haast niet
wachten tot onze lunch!

Larissa

Ze las het nog eens door en klikte toen op 'verzenden'. Nu hoefde
ze alleen nog maar te bedenken hoe ze zonder dat iemand het wist
in de stad kon komen. Ze stond op en liep haar kamer op en neer.
Het zou nog moeite kosten die nacht een oog dicht te doen. Eindelijk, een date met Dan! Hiervan was ze al maanden aan het
dromen. Wat moest ze aan? Moest ze iets met haar haar doen, het
opsteken misschien?

Maar haar blijdschap werd getemperd door haar nervositeit,
angst zelfs. Wat zou er gebeuren wanneer hij ontdekte hoe het zat?
Zou hij haar omhelzen? Zou hij kwaad zijn? Zou hij toegeven en
inzien dat zij voor hem bestemd was... of zou ze hem voor altijd
kwijt zijn?

# 15 Bewonderaar

Aan:  mad4u
Van:  Elke dag je horoscoop

Dit is je horoscoop voor vandaag: Maagd: Jij mag je graag overal mee bemoeien, hè? De sterren zeggen me dat je dat toch wel gaat doen, wat ik ook zeg, dus leef je maar lekker uit.

'Waarom teken je Stephens gezicht op Seans lichaam?' vroeg Holly aan Mads. Ze was naar het tekenlokaal gekomen om even met haar te kletsen voor ze naar huis ging. De Kunstexpo was al over een week, en Mads was iedere middag met haar project bezig.
    'Vind je het op Stephen lijken?' vroeg ze. 'Dat was niet de bedoeling.' Ze liet Holly de digitale pin-up van Sean zien die ze als voorbeeld had gekozen. Het was die van Popeye-laat-je-spierballen-eens-zien. Holly schoot in de lach.
    'Ga je hem zo tekenen? Hij ziet er zo... zo... zo...'
    'Wat?' vroeg Mads. 'Deze was het interessantst van compositie. Die armen geven hem symmetrie, maar de manier waarop hij naar de camera gedraaid staat geeft er diepte aan...'
    'Wie kan dat iets schelen? Wat ik wil zeggen is dat hij zo net een tekenfilmfiguur lijkt.'
    'Vind je? Ik weet niet. Ik wacht liever met mijn oordeel tot het portret af is,' zei Mads. 'Je weet nooit hoe het uiteindelijk uitpakt. Maar ik wil níet dat zijn gezicht op dat van Stephen lijkt. Dat is raar.' Ze legde de schets opzij. 'Daar ga ik een andere keer wel mee door. Ik denk dat ik nu maar een poosje aan dat van jou ga werken.'
    'Ik kan niet lang blijven,' zei Holly. 'Ik moet naar huis om stilletjes mijn kussen nat te huilen.'
    Mads legde haar krijtje neer. Ze had Rob en Christie eerder op de dag tussen de lessen hand in hand gezien. Maar ze was niet van

plan dat aan Holly te vertellen. Die was een wrak. Het enige waar die nog aan kon denken en over kon praten, was Rob. Hoe stom ze was geweest om hem op te geven. Dat ze niet kon geloven dat hij zo snel al een ander had gevonden. Dat ze moest bedenken hoe ze hem zover kon krijgen dat hij haar vergaf en haar terug wilde, als het nog niet te laat was.

'Je krijgt hem heus wel terug,' zei Mads. Ze wist niet wat ze anders moest zeggen. En waarom zou Holly Rob niet terugkrijgen, of ieder ander die ze wilde trouwens? Holly was tien keer zo knap, intelligent en cool als Christie. Mads kende Christie wel niet zo goed, maar dat kon gewoon niet anders. 'Of je vindt een nieuwe jongen. Een betere. Daar ging het je toch eigenlijk om, weet je nog?'

'Weet ik,' zei Holly.

'En Rob loopt nog steeds in van die stomme T-shirts,' zei Mads. 'Vandaag had hij er een aan met INSTANT ZWEMMER – ALLEEN WATER TOEVOEGEN.'

Holly glimlachte droevig. 'Wat schattig.'

'Daar zou je een paar dagen geleden heel anders over hebben gedacht,' zei Mads.

'Alles lijkt nu anders. Hoe lang heeft hij gewacht voor hij een nieuwe vriendin zocht? Eén dag?' Ze stopte even om diep adem te halen. 'Oké, ik draaf door. Ik zal maar naar huis gaan en jou laten werken. Meld je maar op MSN als je thuis bent.'

'Oké. Tot straks.'

Stephen kwam net binnenlopen toen Holly wegging. 'Hoi,' zei ze tegen hem.

'Hoi,' zei hij. 'Ga je alweer?'

*Ga je alweer?* Dat was niet iets wat Stephen gewoonlijk zou zeggen. Misschien zei hij dat als hij verliefd op iemand was.

'Ik mag het genie niet hinderen bij haar werk,' zei Holly. Ze verdween en Stephen liep naar zijn werkplek. 'Hoi, Mads,' zei hij. 'Hoe gaat-ie?'

'Goed,' antwoordde ze. Ze bestudeerde de foto van Holly en vergeleek hem met wat ze tot dan toe had getekend. Holly leek zo mooi op de foto. Kon ze dat stralende, zelfverzekerde van haar maar in haar tekening weergeven, dan zou Holly's portret een van haar beste worden.

Ze maakte haar tekening op de ezel vast en concentreerde zich op Holly's ogen. Daar was ze zo in verdiept dat ze pas merkte dat Stephen stond te kijken toen hij zei: 'Dat is een geweldig portret, Mads. Heel mooi.'

'Dank je,' zei ze.

Hij pakte de foto om die met de tekening te vergelijken. 'Die foto is ook al zo mooi,' zei hij. 'Ze ziet er bijna Pre-Raphaelitisch uit, met al dat goudblonde haar.'

Pre-Raphaelitisch? Mads vroeg maar niets. Ze nam aan dat het positief was.

Hij legde de foto terug en bleef nog even naar de tekening staan kijken. 'Dit wordt een doorbraak voor je, Mads. Dat weet ik zeker. Moet je die uitdrukking in haar ogen zien. Die is... die is prachtig.'

Prachtig? Mads nam zijn gezicht op. Had hij het over het portret... of over Holly?

Moet je zien hoe hij naar haar portret staat te staren, dacht ze. Ze voelde een kleine steek van teleurstelling. Waarom keek er nooit iemand zo naar háár?

Hij heeft een oogje op Holly, dacht ze. Dat was overduidelijk.

Hmm... misschien was het nu Mads' beurt om eens voor koppelaarster te spelen. Holly zat zo in de knoop vanwege Rob. Maar Stephen was ook een superknul. Heel anders dan Rob, maar op zijn eigen manier een prima exemplaar. Als ze Holly zover kon krijgen dat ze Rob vergat en Stephen ging zien zoals Mads hem zag, zou ze zich wel beter gaan voelen. En als je zag hoe hij bij Holly's portret stond te kwijlen, vermoedde Mads dat Stephen door het dolle heen zou zijn.

# 16 Confrontatie in het Zwemcentrum

Aan:  hollygolitely
Van:  Elke dag je horoscoop

Dit is je horoscoop voor vandaag: Steenbok: Je bent een taaie, liever buigen dan barsten, maar dit keer vrees ik toch het ergste voor je.

'Hé, maatje, wat kijk je sip,' zei Sebastiano toen Holly die middag bij hun kluisjes tegen hem op botste. Ze was de hele dag al chagrijnig, ze snauwde anderen af en die hoefden maar even verkeerd naar haar te kijken of ze kregen al een grote mond. Zelfs Lina en Mads waren een beetje bang voor haar. Holly was blij dat Sebastiano door haar kwaadheid heen keek en het verdriet erachter zag.

'Je moet ze toch gezien hebben,' zei ze. 'Het lukt mij tenminste niet ze over het hoofd te zien.'

'Je hebt het over Rob en dat meisje dat als een pluisje op kasjmier aan hem vastplakt?' vroeg Sebastiano. 'Kom nou, Holly. Dat kun jij wel aan. Zij vormt toch geen bedreiging voor de Superboezembabe.'

'O nee? Waarom is Rob dan bij haar en niet bij mij? Ik heb alleen maar tegen hem gezegd dat we niet meer met elkaar moesten gaan en dat ik ook met anderen om wilde gaan.'

Sebastiano klopte haar op haar schouder. 'Stil maar. Het is niet eerlijk, dat weet ik. Maar wat sta je hier nu met mij te praten? Wat jij nodig hebt is een frontale aanval op de vijand. Niet hinten of subtiel zijn. Nergens voorzichtig omheen draaien. Gewoon op hem af stappen en zeggen dat je hem terug wilt. Het is nog maar net uit, zo compleet kan hij nog niet aan die kleine teek vastzitten. Eens zien wat er dan gebeurt.'

Het was rechtstreeks, het was simpel, het was voordehandliggend.

106

Het zou best kunnen werken. 'Goed,' zei ze. 'Dat zal ik vanmiddag proberen.'

'Zo ken ik je weer. Wie weet, straks zit hij vanavond weer lekker met jou te knuffelen, en je op de zenuwen te werken en dol te maken, net als vroeger.' Hij sloot zijn kluisje en ritste zijn keurige grijze sweater dicht.

'Waar ga jij heen?' vroeg Holly.

'Naar de balletuitvoering van mijn kleine zusje. Niemand kan mij ervan beschuldigen dat ik de schone kunsten niet steun. Succes!'

'Bedankt.' Holly ging naar de bibliotheek om huiswerk te doen terwijl ze wachtte tot Robs zwemtraining was afgelopen. Tegen vijven liep ze naar het Zwemcentrum en bleef daar bij de deur naar de jongenskleedkamer rondhangen. Een paar minuten later kwam Rob naar buiten; zo onder de douche vandaan, en met zijn slordige, natte haar had hij meer van een teddybeer dan ooit.

'Hoi.' Hij leek verbaasd haar te zien. 'Wat doe jij hier?'

'Kan ik je even spreken?' vroeg Holly.

Hij keek rond. Ze vroeg zich af of hij soms met Christie had afgesproken. 'Eh, best.'

Ze liep met hem naar buiten en ze gingen bij de ingang naar het Zwemcentrum tegen een muur staan. Holly haalde diep adem. Als ze haar intuïtie volgde zou ze dit op een of andere manier mooi inkleden, maar ze besloot Sebastiano's raad op te volgen en recht op haar doel af te gaan.

'Ik heb me vergist, Rob,' zei ze. 'Het was stom van me om het uit te maken. Een stomme vergissing. Ik moet die dag een rotbui hebben gehad of zo.'

'Een rotbui, hè? Ach, dat kan gebeuren,' zei Rob.

'Ik weet wel dat dat geen excuus is,' zei ze. 'Hoor eens, Rob, alsjeblieft, geef me nog een kans. Een kans om het goed te maken bij je en weer samen te zijn.'

Terwijl ze wachtte speurde ze zijn gezicht af naar aanwijzingen over zijn gevoelens. Het was een beweeglijk gezicht, waarop gewoonlijk alles zo af te lezen was. Maar die middag hield hij het volkomen neutraal.

'Wat vind je ervan?' drong ze aan toen hij geen antwoord gaf.

Nu keek hij haar aan. Ah, goed teken. Hij was nog steeds op haar gesteld, dat kon ze zien. En toen ze hem in zijn ogen keek voelde ze meer dan ooit wat een goed mens hij was, hoe warm en lief en attent, hoe ideaal voor haar.

Toen sloeg hij zijn ogen neer. 'Nee,' zei hij.

Nee? Zei hij nee?

'Hoe bedoel je: nee?' vroeg ze. Hoe kon hij daar zo staan en nee tegen haar zeggen?

'Ik bedoel: nee. Ik wil niet dat het weer aan gaat tussen ons. Het spijt me.'

'Maar waarom niet? We hadden het zo fijn samen! Dat moet je toch toegeven.'

'Dat weet ik wel. Maar jij bent niet de enige die dingen had om over te klagen, hoor. Ik vond jou te kritisch en te kieskeurig. Waarom moest je altijd zo'n toestand maken van zulke onbelangrijke dingen als welk T-shirt ik aan had? Ik wilde alleen maar aardig voor je zijn, en zelfs dát zat je dwars! Jij hebt mij gedumpt, Holly. En waarom? Om de stomste redenen die ik ooit heb gehoord. Als je het zo makkelijk uit kunt maken, om zulke kleinigheden, dan wil ik niet meer met je gaan. Dus het spijt me, Holly, maar het antwoord is nee. Ik wil je niet terug. Tot kijk.'

Hij hees zijn rugzak op zijn schouder en liep weg. Sprakeloos keek ze hem na. In al die tijd dat ze hem kende – wat eigenlijk niet zo lang was, moest ze toegeven – had hij nog nooit zo gedecideerd tegen haar gepraat. Waar kwam dat opeens vandaan?

Het begon tot haar door te dringen wat er zojuist gebeurd was. Ze was er kapot van en liet haar hoofd in haar handen zakken. Ze kon het niet geloven. Hij wilde haar niet terug! En dat had hij gewoon ronduit gezegd!

Rob begon eindelijk voor zichzelf op te komen. Waarom had hij daar zo lang voor nodig gehad?

Je wordt bedankt, Sebastiano, dacht ze. Nu voel ik me nog rotter dan eerst. Was er echt geen hoop meer, geen manier om hem terug te krijgen?

Dat kon ze niet accepteren. Zo makkelijk geef ik het niet op, zei ze tegen zichzelf. Christie Hubbard kan maar beter uitkijken. Ik krijg Rob terug, al wordt het mijn dood. Of de hare. Maar vermoedelijk eerder de mijne.

# 17 Bij Ramona thuis

Aan: linaonme
Van: Elke dag je horoscoop

Dit is je horoscoop voor vandaag: Kreeft: Je voelt je vandaag niet op je gemak – nog minder dan anders, bedoel ik.

'Zit hier iemand?' vroeg Ramona.

Lina schudde haar hoofd. 'Ga je gang.'

Mads zat iedere middag hard te werken in het tekenlokaal en Holly was naar het zwembad om met Rob te praten, zodat Lina, niet in de stemming om al naar huis te gaan, maar in haar eentje naar Vineland was gefietst. Dat was eigenlijk niets voor haar. Maar dat was stiekem in haar eentje naar de stad gaan voor een date ook niet. Misschien was het tijd om eens nieuwe dingen te proberen, wat brutaler te zijn, uit haar schulp te komen.

Maar toen ze in het café kwam, zag ze niemand die ze kende. Ze bestelde koffie, ging in haar eentje aan een tafeltje zitten en staarde door het grote raam naar buiten, naar het dal. Ze was blij toen ze door Ramona werd gestoord. Niet echt wat je een vriendelijk gezicht zou noemen, maar tenminste wel een bekend gezicht.

'Jij moet vandaag wel een goede bui hebben,' zei Lina toen ze zag dat Ramona midden op haar voorhoofd, op de plaats waar haar derde oog hoorde te zitten, een piepklein roze bloemetje had getekend. Anders zou ze daar eerder een paar druppels bloed hebben gezet, of misschien een kleine schedel met gekruiste beenderen eronder.

'Eigenlijk wel, ja,' zei Ramona. 'Morgen moet Dan extra lang blijven om ons met de lay-out van het volgende nummer van de *Vuurvlieg* te helpen. Daarom had ik bedacht om vanavond brownies te bakken voor iedereen. Om het lay-outwerk wat op te vrolijken, snap je. En dan wilde ik er "Bedankt, Dan" op schrijven in walnoten.'

'Dan is allergisch voor walnoten.' Oeps. Met een klap sloot Lina haar mond. Dat had ze niet mogen zeggen. Het kwam er zomaar uit.

'Wat? Hoe weet jij dat?' Ramona richtte haar intense zwarte ogen op Lina en staarde haar aan. Vroeger werd Lina daar bang van, van die starende blik, maar nu niet meer. Nou ja, een beetje misschien.

Ze haalde haar schouders op en probeerde nonchalant te doen. 'Volgens mij heeft hij zoiets eens in de klas gezegd.'

'Nee, hoor,' zei Ramona. 'Ik schrijf ieder woord dat die man in de klas zegt op, en hij heeft beslist nooit gezegd dat hij allergisch voor walnoten is. Tenzij ik die dag ziek was. En dan zou ik het meteen van Chandra of Siobhan hebben gehoord. Je weet best, ik leef voor elk brokje persoonlijke informatie dat ik over Dan te pakken kan krijgen.'

Ja, dat wist Lina. Ze deed haar best stand te houden onder het krachtveld van die starende blik. Ze voelde dat ze begon te trillen.

'Ik wil graag antwoord op mijn vraag, Ozu,' zei Ramona. 'Hoe weet jij dat Dan allergisch voor walnoten is als hij dat niet in de klas heeft verteld?'

'Dan zal hij het er wel een andere keer over hebben gehad,' zei Lina. 'Misschien heeft hij het wel op een werkstuk van me geschreven. Hoe moet ik me zo'n detail nou herinneren?' Ze probeerde erom te lachen, alsof het om de onbenulligste zaak van de wereld ging. Maar Ramona trapte er niet in.

'Je weet net zo goed als ik dat jouw hoofd een stalen kluis is als het om Dan-info gaat,' zei Ramona. 'In jouw brein zitten files waarin alles is opgeslagen wat iets over Dan zegt, en ook hoe je eraan komt en wanneer je het te weten bent gekomen. Je verbergt iets voor me en ik wil nú weten wat het is.'

Lina zat tegen de rug van haar stoel gedrukt terwijl Ramona

naar voren leunde en haar blik in Lina's ogen boorde alsof ze de waarheid zo kon opgraven.

'Vertel op, Lina. Wat is er aan de hand? Het is iets belangrijks, hè? Je zou niet zo aarzelen om het te vertellen als het niet om iets enorms ging.'

Lina merkte opeens dat ze al een paar minuten haar adem inhield. Ze zou nooit, nooit, echt nooit aan Ramona of aan wie dan ook vertellen over haar plan om Dan te ontmoeten. Maar om dat geheim te beschermen zou ze Ramona iets moeten geven om haar zoet te houden. En dat zoethoudertje was zo'n delicatesse dat Lina wist dat ze er tevreden mee zou zijn.

'Goed dan,' zei ze. 'Ik zal het zeggen. Maar je mag het aan niemand anders vertellen. Ook niet aan de sekte. Zweer je dat?'

'Dat zweer ik.' Ramona spuugde in haar hand, wreef met haar wijsvinger in het speeksel en hield het Lina voor. 'Wil je een uitwisseling-van-spuugceremonie doen? Spuug op je vinger en wrijf het door dat van mij.'

'Dat is niet nodig.' Voor alle zekerheid begroef Lina haar vingers in haar handpalmen. 'En nu beloven.'

'Ik beloof het. Maar wat is het nou? Het is echt iets goeds, hè? Dat zie ik zo.'

'Ik denk dat het je wel zal interesseren. Een paar weken geleden zat ik op een website te kijken waarop mensen hun profiel hadden gezet –'

'Oh my God!' Vol verwachting sloeg Ramona haar hand voor haar mond.

'En toen kwam ik een profiel van Dan tegen.'

'Nee!' Ramona schreeuwde zo ongeveer. Twee vrouwen die bij de haard zaten keken om.

'Ja. Het was echt verbijsterend, Ramona. Er staat van alles over hem in wat je anders nooit zou weten. En als je het leest, ga je hem nog leuker vinden.' Eigenlijk was het wel een opluchting om het eindelijk te kunnen vertellen aan iemand die het echt begreep. Holly en Mads vonden het grappig, maar Ramona wist dat het wereldschokkend was.

'Ik ga dood! Ik sla achterover en krepeer hier ter plekke!'

Lina gaf haar even tijd om het te laten doordringen. Ze begreep het wel. Het was enorm.

'Mag ik het zien?' vroeg Ramona. 'Op welke site staat het?'

Lina aarzelde. Als Ramona het profiel zag kon zij er ook op reageren. En dat kon alles kapot maken.

'Misschien laat ik het aan je zien,' zei ze. 'Maar eerst moet ik iets uitleggen.'

'Oh my God. Je hebt hem geschreven! Of niet soms! Dat heb je gedaan! Duivelin die je bent!'

'Ik heb hem onder een andere naam geschreven. En net gedaan of ik een studente ben, net zo oud als hij, om hem niet de stuipen op het lijf te jagen.'

'Natuurlijk, want als hij wist dat jij het was zou hij ertussenuit knijpen,' zei Ramona. 'En?'

'Hij schreef terug. En sindsdien schrijven we elkaar elke dag.'

Ramona's gezicht verstijfde en er bleef een schreeuw op haar lippen steken. Lina moest er bijna om lachen. Ze had nog nooit in haar leven zo veel indruk op iemand gemaakt.

Ten slotte zette Ramona haar handen op het tafelblad en boog drie keer haar hoofd. 'Lina Ozu, je bent een godin. Ik ben onwaardig. Ik wist dat je het in je had! Schitterend beraamd!'

'Dank je,' zei Lina.

'Je bent in alle opzichten mijn meerdere,' zei Ramona. 'Niet te geloven wat je in zo weinig tijd hebt bereikt. Ik ben… ik ben er ondersteboven van. En als je jou zo ziet… dat zou geen mens achter je zoeken. Zo lief en eerlijk als jij eruitziet, bedoel ik, maar je bent zo doortrapt als wat, hè?'

'Nou, wacht even…'

Ramona stak haar hand op. 'Bescheidenheid is nergens voor nodig. We zijn gelijken. Hoor eens, je moet met me mee naar huis komen. Ik wil dat profiel zien. Ik beloof dat ik niets zal doen om het voor jou te verpesten, daarvoor ben ik te veel onder de indruk. Maar ik wil alles weten wat er is gebeurd. En ik denk ook dat het tijd wordt dat je je vermant en naar het museum komt.'

Lina slikte. Ze probeerde al onder het Museum van Dan uit te komen sinds ze er voor het eerst van hoorde.

'We gaan dat profiel uitprinten en op het altaar leggen,' zei Ramona. 'Alleen jij en ik. En dan doen we een heilige liefdesceremonie. En als je wilt mag je bij ons blijven eten. Wat vind je ervan?'

Lina dacht aan haar naderende date met Dan. Ze had alle hulp nodig die ze kon krijgen, zelfs bovennatuurlijke hulp was beter dan niets. En ze kon Ramona niet voor eeuwig blijven afschepen. Ooit zou ze het museum toch moeten zien, al werd ze al misselijk bij het idee.

'Toe, Lina?' smeekte Ramona. Dat overviel Lina nogal, het was niets voor Ramona om te smeken. 'Alsjeblieft.'

'Goed dan,' zei ze. 'Ik ga mee. Alleen even mijn moeder bellen.'

'Hoi, pap,' zei Ramona tegen een korte, gedrongen man die in de keuken soep stond te koken. 'Dit is Lina.'

De man keerde het fornuis even de rug toe om een lichte buiging naar Lina te maken. Hij had een vriendelijk, rond, kaal hoofd met een zwarte snor als middelpunt. 'Hallo, Lina. Blijf je eten?'

'Ja,' antwoordde Ramona. Ze greep Lina bij haar pols en trok haar mee naar de trap.

'Ik hoop dat je vleermuisvleugelsoep lust!' riep meneer Fernandez hen na.

Lina keek Ramona aan. 'Maakt hij een grapje?'

'Ja, natuurlijk maakt hij een grapje,' zei Ramona. 'Wat dacht jij dan, dat we echt heksen waren of zo?'

En waarom niet, dacht Lina. Als je naar Ramona's kleren keek, en hoe ze zich gedroeg, haar voorliefde voor het occulte, en dan ook nog een vader die zo uit de Addams Family weggelopen leek, dan was dat niet zo vergezocht.

'Waar is je moeder?' vroeg Lina.

'Nog op haar werk, denk ik,' zei Ramona. 'Ze verkoopt onroerend goed. Er zijn veel mensen die het liefst na hun werk huizen bekijken.'

Dus Ramona's moeder was makelaar. Dat botste wel een beetje met dat gothic image. Tenzij ze gespecialiseerd was in spookhuizen.

'Hier is het,' zei Ramona. Haar kamer was op zolder. Ze duwde de deur open, die donkerrood geverfd was.

Met zijn dakbalken en dakkapel zou het een mooie zolderkamer in een oud herenhuis zijn geweest als die zwarte netgordijnen, die zwarte wanden waarop met lichtgevende verf occulte symbolen waren aangebracht, en die enorme Deathzillaposter op de kastdeur er niet waren geweest. Deathzilla was Ramona's favoriete heavy-metalband. Hun symbool was een reusachtige vuurspuwende metalen robotdino.

Hier en daar stonden kaarsen, vazen droogbloemen en schaaltjes met geheimzinnige voorwerpen erin, op de vloer lagen boeken, laarzen en sjaals en er stond een antieke toilettafel die bezaaid was met sieraden en make-up. Maar op het bed lag gek genoeg een mooie roze sprei met stroken die absoluut niets gothics had.

Ramona had het museum in een hoek ingericht. Op de vloer was met krijt een enorm pentagram getekend. Daarbinnen lagen vier grote kussens, een voor elk sektelid, zodat ze allemaal met hun gezicht naar een oud oosters kamerscherm konden zitten waar een altaar van was gemaakt. Er zaten een paar foto's van Dan op geprikt die uit de *Ziener* waren geknipt, en ook de mooiste door Dan nagekeken werkstukken. De aandenkens – de bekertjes, de pizzakorst, een zakje met losse haren, een stuk krijt, een afgekloven potlood – lagen op een klein tafeltje ervoor, met een kaars en een vaas bloemen erbij. Het was heel bescheiden en eigenlijk wel roerend. Wat het griezelig maakte was dat je, als je niet wist wat het voorstelde, zou denken dat Dan dood was.

'Hier vindt de magie plaats,' zei Ramona. 'Letterlijk.'

'Nou, niet létterlijk,' zei Lina. 'Want er is toch geen sprake van échte magie?'

'Wie zegt dat?' Ramona keek defensief.

Lina ging er maar niet op door. Ramona zette haar computer aan. 'Ik moet meteen dat profiel zien,' zei ze. Lina logde op De Lijst in en zocht Dans profiel op. Sinds zij met hem mailde had hij er niets aan veranderd. Ramona las het uitvoerig.

'Beauregard,' zei ze. 'Die naam zou ik nooit voor hem hebben gekozen. Of hij zo uit *Gone with the Wind* komt.'

'Ik vond het eigenlijk wel ouderwets en hoffelijk,' zei Lina.

'Ik zou hem Vladimir noemen,' zei Ramona.

'Een Vladimir is hij nou juist helemaal niet.'

Ramona maakte een diepe buiging. 'Dat zult u wel beter weten dan ik, mijn koningin.'

'Hou op met buigen,' snauwde Lina. 'Daar krijg ik de kriebels van.'

Ramona boog weer. 'U zegt het maar, o opperheldin van de sekte.'

'Laat dat!' Waarom moest Ramona steeds zo doen? Steeds als Lina het gevoel kreeg dat ze zich in haar gezelschap wat kon ontspannen, deed Ramona van die dingetjes die haar irriteerden en op afstand hielden. Het leek wel of ze zich gedwongen voelde niet al te aardig te zijn.

Ramona printte het profiel. 'Dit wordt het middelpunt van het altaar. Het is het mooiste aandenken dat we hebben. De sekte is je eeuwig dankbaar.'

'Ugh, hou toch op.'

'Ramona!' riep een vrouwenstem van beneden. 'Over een half uur eten we!'

'Oké!' riep Ramona terug. 'Mijn moeder is thuis. Kom op, dan doen we de ceremonie.' Ze pakte een doosje lucifers, nog een paar kaarsen en wierook. 'Pak die mantel eens.' Ze wees naar een satijnachtige groene cape met capuchon die over een stoel hing.

Lina pakte hem. 'Waarom groen?'

'Dat had ik toevallig. Overgebleven van mijn vaders Green Giant-pak een paar jaar geleden met Halloween.'

Ze stak de kaars aan en zette alles klaar. 'Ga jij maar op dat blauwe kussen zitten, dan kun je kijken,' zei ze.

Lina ging zitten. Ramona hing de print met Dans profiel midden op het altaar. Ze knielde op een kussen en boog ervoor.

'Daniel Shulman, Daniel Shulman, Daniel Shulman,' scandeerde ze. 'Namluhs Leinad, Namluhs Leinad, Namluhs Leinad. We roepen je vanuit een andere wereld, een wereld zonder school, waar grenzen wegsmelten.'

Help, hier kan ik niet tegen, dacht Lina. Ze klampte haar kussen vast om er niet vandoor te gaan.

Ramona stak een stokje wierook aan en besproeide zichzelf met een of ander musk-achtig geurtje. Ze kwam overeind en draaide drie keer rond.

'Laten we elkaar treffen in die betere wereld, vrij van illusie, echter dan deze,' zei ze. Ze boog voor de stapel gebruikte koffiebekertjes. 'We buigen voor dat wat jouw lippen hebben aangeraakt.'

O god, haal me hier weg, dacht Lina.

Ramona boog voor de werkstukken en het potlood. 'We buigen voor dat wat jouw handen hebben aangeraakt.' Ze boog voor het restant pizzakorst, waar nauwelijks meer dan een berg kruimels van over was. 'We buigen voor dat wat jouw mond heeft aangeraakt...'

Lina had het niet meer. Maar Ramona klonk zo oprecht. Zo serieus. Wat bezielde haar om dat ritueel elke week uit te voeren, of deed ze het elke dag? Dacht ze nou echt dat het zou werken?

Ramona deed wat poeder op een schoteltje, haalde een haar uit het zakje en roerde hem erdoor. Ze stak het poeder met een lucifer aan en het explodeerde met een knalletje. 'Zie het licht dat brandt, zie de waarheid in het vuur. Er zijn er maar twee van wie je houdt, Ramona en Lina, Ramona en Lina, Ramona en Lina...'

Ramona en Lina. Lina wilde niets liever dan roepen dat Ramona moest ophouden. Maar dat zou veel te grof zijn, gemeen zelfs.

Aan de andere kant... Wat zou Dan denken als hij haar hier nu kon zien?

'...We buigen voor jou, onze geliefde, en smeken Venus, de godin van de liefde, ons jouw hart te schenken...'

Hij zou denken dat ze geschift was. En hij zou nog gelijk hebben ook.

# 18 Beauregard ontmoet Larissa

Aan:   linaonme
Van:   Elke dag je horoscoop

Dit is je horoscoop voor vandaag: Kreeft: Vandaag kom je op een tweesprong. Grijp je kans.

Die zaterdagochtend werd Lina met een steen in haar maag wakker. Vandaag was het zover: haar afspraak met Dan. Er waren twee mogelijkheden. Het kon de gelukkigste dag van haar leven worden. Of de afschuwelijkste.

Ze had al bedacht hoe ze in de stad kon komen. Ze zou naar het centrum van Carlton Bay fietsen en daar een taxi nemen naar de veerboot waarmee je de baai over kon naar San Francisco. Als ze daar eenmaal was kon ze verder per taxi, bus, trolleybus of ondergrondse. De vorige dag had ze wat geld opgenomen van haar spaarrekening om genoeg cash te hebben. Alles was geregeld. Nu hoefde ze alleen nog maar haar ouders een overtuigende reden te geven om de hele dag weg te blijven.

'Weet je, ik mis je pony,' zei haar moeder, Sylvia, bij wijze van begroeting toen Lina de keuken in kwam voor het ontbijt. 'En je haar wordt ook wat te lang. We moeten maar gauw weer een afspraak bij Terry maken.'

Terry was haar moeders kapper. Lina zag niet in waarom ze iets aan haar haar zou moeten doen; het was lang en steil en haar pony had ze al maanden geleden door laten groeien. Maar goed, misschien mocht het wel eens bijgeknipt worden.

'Best, mam,' zei ze. 'Volgende zaterdag misschien.' Ze bukte om haar vader, Ken, een zoen te geven. Hij zat de krant te lezen en een kom cornflakes te eten. 'Morgen, pap.'

'Morgen, Lina Lolabrigida,' zei haar vader. Dat was zijn oude koosnaampje voor haar. 'Ik vind je haar prima zo.'

'Dank je.' Lina roosterde een Engelse muffin voor zichzelf. Meer kreeg ze niet naar binnen, zo zenuwachtig was ze.

'Ben je al opgewonden voor vanmiddag?' vroeg Ken.

Lina schrok. Vanmiddag? Hoe wist hij dat?

'Eh, opgewonden?' vroeg ze. 'Hoezo?'

'De Forbushes,' zei Sylvia. Ze dronk zwarte koffie en at fruitsalade. 'Ik weet zeker dat ik je dat heb verteld. Ze nemen ons vandaag mee op hun boot.'

'En zo te zien is het er een ideale dag voor,' zei Ken. 'Zonnig, matige wind uit het zuidwesten...'

De Forbushes! Dat waren vrienden van haar ouders, met twee kinderen, June en Brendan, van ongeveer haar leeftijd. Lina kon zich absoluut niet herinneren dat ze die dag met hen zouden gaan varen. Ze wist zeker dat ze het wel onthouden zou hebben als Sylvia het had verteld. Nijdig keek ze in haar moeders richting, maar die ontweek haar blik.

'Daar heb je niks over gezegd,' zei Lina.

'Jawel hoor,' hield Sylvia vol. 'Dat weet ik zeker. Ik heb op zijn minst een briefje op je bureau gelegd.'

Een briefje op haar bureau. Die ouwe truc. Dat kon gemakkelijk zoek zijn geraakt, als haar moeder het al had neergelegd. Sylvia was arts, ze had het heel druk, en soms vergat ze dingen. Maar dat gaf ze niet graag toe. Ze kon het niet uitstaan om ongelijk te hebben, nooit.

'Ik heb helemaal geen briefje gezien,' zei Lina. Ze keek Ken aan voor steun.

'Sorry, schat,' zei hij. 'Ik had iets moeten zeggen.'

'Nou, ik kan in elk geval niet mee,' zei Lina, en ze probeerde koortsachtig een excuus te verzinnen. Het zou iets beters moeten zijn dan wat ze van plan was geweest – een dagje winkelen met Mads en Holly – want dat zouden ze niet accepteren. Ze zouden gewoon zeggen dat ze het moest afzeggen.

'De Forbushes verheugen zich erop je te zien, Lina,' zei Sylvia op dat toontje van haar dat impliceerde dat ze Lina er nog voor zou laten boeten als de Forbushes de hele kwestie allang vergeten waren.

'Maar vandaag is er een belangrijke wedstrijd van het meisjesvoetbalteam,' zei Lina. Ze hoopte maar dat dat klopte, voor het geval dat Sylvia besloot het te controleren. 'En die moet ik verslaan voor de krant.'

'Wanneer zien we je eerste bijdrage met jouw naam erbij?' vroeg Ken. Om voor de hand liggende redenen had Lina besloten hun haar journalistieke debuut, 'Badmintonklapper', maar niet te laten zien. Gelukkig zou er de volgende week een artikel van haar over het zwemteam verschijnen. Een echt artikel, niet dat zogenaamde over Sean.

'Binnenkort,' zei ze.

'Mijn dochter de sportverslaggever,' zei Ken. 'Prachtig toch.'

'Ze gaat met de dag meer op jou lijken,' zei Sylvia op alweer zo'n toontje van haar, waardoor je niet goed wist of het positief was dat ze op haar vader ging lijken, of juist niet. Wat Lina zo fijn vond aan haar vader was dat hij altijd verkoos het positieve in de stem van zijn vrouw te horen, en niet het negatieve. In dat opzicht leek Lina in elk geval níet op hem.

'Hoe dan ook, Lina, je zult gewoon iemand moeten zoeken om je te vervangen,' zei Sylvia. 'Die afspraak met de Forbushes staat al weken vast.'

'Dat kan ze niet maken!' zei Ken. 'Wat zou ze voor verslaggever zijn als ze een artikel oversloeg om te gaan zeilen?'

'Dankjewel, pap,' zei Lina. 'Het is een uitwedstrijd, in Durban, dus ik ben de hele middag weg.' Durban lag op ongeveer drie kwartier afstand.

'Wil je een lift hebben?' vroeg Ken.

'Ik rij wel met het team mee,' antwoordde ze. Haar muffin was klaar. Ze smeerde er boter en sinaasappelmarmelade op en nam hem met een glas sap mee naar haar kamer. Ze kon maar het beste zo snel mogelijk uit de keuken verdwijnen, vóór Sylvia een zwakke plek in haar verhaal vond.

De reis naar de stad viel ontzettend mee. Dat zou ik vaker moeten doen, dacht Lina. Ze liep in een drukke straat in het centrum op zoek naar The Garden Restaurant.

Ze had eindeloos gepiekerd wat ze aan moest, en geaarzeld tussen het-simpel-houden met jeans en volwassen glamour in de vorm van een zijden jurk, maar ten slotte voor een mooie gebloemde jurk en een sweater gekozen.

Daar was het. The Garden Restaurant. De deuropening was versierd met druivenranken. Prachtig.

Ze haalde diep adem. Het was zover. Alles of niets, nu of nooit, slikken of stikken, dat soort dingen. Sinds die muffin bij het ontbijt had ze niets meer gegeten en daar was ze blij om, want anders zou ze hebben overgegeven van de zenuwen. Ze voelde het bloed door haar aderen jagen. Ze opende de deur.

En werd door een golf hoempamuziek begroet. Geschrokken en ontdaan keek ze het restaurant rond. Een vrouw in traditionele Duitse boerenklederdracht – een witte blouse en een geborduurde schortachtige jurk die haar boezem omhoogduwde, en met haar haar in vlechten boven op haar hoofd – hield haar tegen. 'Guten Tag! Kan ik je helpen?'

Guten Tag? Was dat Duits? Wat was dit voor zaak?

Er kwam een mollige ober in groene lederhosen en met een bijpassend vilten hoedje langs, die een bord worstjes en zuurkool op zijn schouder balanceerde. De band – een tuba, een trombone en een grote trom – schalde en tetterde. Aan grote tafels zaten dronken toeristen te lachen en te klappen. De wanden waren versierd met kerstverlichting en afbeeldingen van de Beierse bossen.

O help, dacht Lina. Het is een Duitse biertent. De onechtste Duitse biertent aan deze kant van Disneyland. Het is een kabaal, het is kitscherig en het is de minst romantische plaats in de hele stad San Francisco. Wat zou Dan wel niet denken? Het was niets voor Larissa. Tenzij ze het ironisch bedoelde... Tja, dat was de enige oplossing. Larissa zou dus een ironisch figuur moeten zijn.

Ze keek de ruimte met zijn lage plafond en zijn houten balken rond. Geen Dan te bekennen. Alleen maar een heleboel dikke mensen met rode gezichten, die met grote pullen bier klonken en in gezang uitbarstten. 'Haal nog eens een vaatje, een vaatje vol met lol...' Lina probeerde kalm te blijven. Hier waren haar zenuwen niet tegen bestand.

'Kan ik je helpen, *Fräulein*?' vroeg de gastvrouw weer.

'Ja,' zei Lina. 'Nee, bedoel ik. Ik heb met iemand afgesproken. Maar ik zie hem nog niet.'

'Misschien zit hij buiten in de tuin,' opperde de gastvrouw.

De tuin. Misschien was het daar minder erg. Lina baande zich een weg door de eetzaal en bleef op de drempel naar de kleine binnenplaats staan. Een met druivenranken begroeide pergola vormde een afdak. Het was een prachtige dag, zodat de binnenplaats ook vol uitgelaten eters zat. En in de hoek, aan een tafeltje voor twee, zat Dan.

Lina's hart bonsde. Hij zat op haar te wachten. Op dit moment hing haar lot aan een zijden draadje. Wat zou er gebeuren als ze op zijn tafeltje af liep? Hij zou verbaasd zijn, dat zeker. Maar verder? Blij? Ontdaan? Gekwetst door haar bedrog? Zou hij het stiekem spannend vinden? Zou hij een stoel achteruittrekken en haar aanbieden, of zou hij kwaad en verontwaardigd wegstormen?

Als hij haar verwelkomde, zou ze dolgelukkig zijn. Maar als hij haar afwees, zou ze dat niet kunnen verdragen. Lina keek in haar hart, dwong zichzelf zo eerlijk mogelijk te zijn en woog de mogelijkheden tegen elkaar af. De kans op afwijzing was groot. Misschien te groot om te riskeren.

Hij had haar nog niet gezien. Ze kon nog terug. Ze bleef nog een ogenblik op de drempel staan treuzelen, een ogenblik te lang. Hij keek om, op zoek naar de ober, en zag haar.

Haar adem stokte in haar keel. Hij herkende haar, lachte en zwaaide.

O help, dacht Lina. Hij lijkt niet eens ontdaan. Misschien komt alles toch nog goed.

Ze liep het terras over naar zijn tafel. De hoempaband kwam achter haar aan naar buiten. Geweldig.

'Hoi, Lina,' zei hij. 'Dat is ook toevallig. Wat voer jij hier uit?'

Hij heeft het helemaal niet door, begreep ze. Dat Lina Larissa kon zijn was zo onmogelijk voor hem dat het gewoon niet in hem opkwam. Hij dacht dat het stom toeval was.

Ik ben Larissa, wilde ze zeggen. Snap je dat niet? Je zit op mij te wachten. Ik heb dit geregeld, dat is wat ik hier uitvoer.

Ze opende haar mond. 'Nou eh,' begon ze, 'ik –'

Hoem-pa, boem-pa-pa! De hoempaband was haar achternagekomen en begon aan een nieuw nummer. De mensen in de tuin zongen mee. 'In de hemel is geen bier, daarom drinken we het hier...'

'Wat zeg je?' schreeuwde Dan.

'Ik ben...' Ze aarzelde. Zou ze het zeggen? Ik ben Larissa... Zo moeilijk was het niet. Wat hield haar dan tegen?

'Ik ben...' Ze kon het niet. Het was niet in de haak, zoals ze hem had verleid haar te schrijven en voor haar te vallen. Ze kon hem ontzettend in moeilijkheden brengen, en dat terwijl hij volkomen onschuldig was. Zo onschuldig dat hij in geen miljoen jaar zou raden wat ze had gedaan.

'...En zijn we niet meer hier, dan is het gedaan met het plezier!'

Godzijdank voor die hoempaband, dacht ze. Die had haar gered. Maar nu moest ze met een geloofwaardige reden komen waarom ze kilometers ver van huis was om naar zo'n waardeloze tent te komen. Heerlijk, de muziek was even stil. 'Ik ben met een vriendin in de stad om te winkelen,' zei ze tegen Dan. 'Ik ben hier alleen even binnengevlucht om naar de wc te gaan.'

Hij knikte. 'Ik had hier met iemand afgesproken. Zij had deze zaak uitgekozen. Ik moet bekennen dat ik hierdoor wel mijn twijfels over haar krijg.'

Lina voelde zich ellendig. Hij wist het nog niet, maar Larissa zou helemaal niet komen opdagen. Hij zou nog een hele tijd hier in die biertuin op haar zitten wachten, gekweld door die hoempaband. Arme Dan.

'Nou, ik ga maar weer,' zei ze een tikje bedroefd. 'Tot kijk op school.'

'Leuk je te zien, Lina. Nog een prettige dag in de stad.'

'Dank je.' Ze liep naar de eetzaal terug, maar keek op de drempel van de tuindeur nog een laatste keer om. Dan had een pocket uit zijn zak gehaald en begon te lezen. Dus hij had tenminste iets om hem bezig te houden.

Ze zuchtte en wierp hem in gedachten een kushandje toe. Toen ging ze naar huis.

# 19 Karaokekritiek

Aan:   hollygolitely
Van:   Elke dag je horoscoop

Dit is je horoscoop voor vandaag: Steenbok: Hoe diep kun je zinken?
Verdraaid diep.

'En, wat heb jij vanmiddag gedaan?' vroeg Holly aan Lina. Het was
zaterdagavond halfacht en ze zaten aan een klein tafeltje in Kamer
1 van Kay's Karaoke Paleis naar Autumn te kijken. Het was haar
verjaardag en op dat moment was ze bezig 'Your Song' van Elton
John te vermoorden. Autumns geliefde Vince zat stralend van
aanbidding voor haar, en Mads kon ieder ogenblik arriveren met
die Stephen waar ze altijd zo vol van was.

'Eh, ik ben wezen varen,' zei Lina. 'Met mijn vader en moeder en
vrienden van hen.' Ze nam een slokje van haar aardbeiensmoothie,
uit een glas zo groot als een vissenkom en met een papieren para-
solletje erin.

'Cool,' zei Holly. 'fijne dag om te gaan varen. Ik heb Eugenia ge-
holpen de zakken van al mijn vaders pakken te doorzoeken naar
aanwijzingen dat hij vreemdgaat. Een verheffende manier om je
zaterdag door te brengen.'

'Hebben jullie iets gevonden?' vroeg Lina.

'Hangt ervan af,' zei Holly. 'Telt een roze golftee? Want dat was
het enige. Volgens Jen bewijst het feit dat dat ding roze is dat hij
met een vrouw heeft gegolft, wat hij haast nooit doet.'

'Nou zoekt ze het wel erg ver, lijkt me,' zei Lina.

'Vind ik ook. Ik geloof echt niet dat Curt vreemdgaat. Ik denk
dat hij het de laatste tijd gewoon niet zo leuk vindt met Jen. Wat
net zo erg is. Misschien wel erger.'

Mads kwam binnen met Stephen achter zich aan. Hij keek of hij zich niet erg op zijn gemak voelde en inspecteerde wie er nog meer waren. Dit waren niet de mensen met wie hij gewoonlijk optrok.

'Hebben we iets leuks gemist?' vroeg Mads. Ze wrongen zich erbij aan het tafeltje, Stephen tussen Holly en Mads.

'Hoi, Holly,' zei Stephen.

'Hoi,' zei Holly. 'Jullie hebben niet veel gemist. Alleen liefdesliedjes, en niks anders dan liefdesliedjes, van de jarige.'

'Ik heb de beroemde Autumn nog nooit ontmoet,' zei Stephen.

'Dat is ze,' zei Mads. Autumn hield nog steeds de microfoon bezet en kweelde nu met Vince 'Endless Love'. 'De beroemde Autumn. Met reden beroemd. Je had de uitnodiging voor haar feestje eens moeten zien.' Ze beschreef hem.

### Autumn Nelsons Karaoke Feest
**Kay's Karaoke Paleis**
**Zaterdagavond van zeven uur tot ???**
Raad eens hoe je leven eruit gaat zien als je niet op mijn karaokefeest komt: dan heb je helemaal geen leven meer! Dan heeft iedereen het over alle coole dingen die we gedaan hebben en die heb jij gemist! Dan kun je het verder wel vergeten! Dus als je een reden wilt hebben om te blijven leven, moet je op mijn feest komen!

'Was dat een uitnodiging of een dreigement?' vroeg Stephen.

'Precies,' zei Mads.

'Vince heeft een Sinatra-imitatie gedaan waarvan je steil achteroversloeg. Dat had ik nooit achter hem gezocht,' zei Lina.

'O, en Rob en Christie strijden met Autumn en Vince om de eerste prijs in de wedstrijd "Stelletjes om van te kotsen",' voegde Holly eraan toe.

Rob en Christie zaten maar twee tafels verderop. 'Endless Love' was, ondanks de titel, eindelijk afgelopen en ze konden Christie tegen Rob horen tuttelen en kirren.

'Wat zie je er toch schattig uit in dat shirt, honnepon,' zei Christie. 'Zo komen die dikke zwemmersspieren van je goed uit.'

Rob had weer een van zijn T-shirts aan, met NOBODY'S PERFECT – I'M NOBODY. Holly stak haar vinger in haar keel en maakte een kokhalzend geluid.

'Zo dik zijn ze niet,' zei Rob, zijn bovenarm inspecterend. 'Maar toch bedankt. Jij ziet er ook mooi uit. Leuke speld is dat die je in hebt, Chris.' Ze had een afgrijselijke speld in de vorm van een koe in haar haar. Rob zat met zijn armen om haar heen, en tussen de zinnen door zoende ze hem.

'Schattebout,' verbeterde Christie. 'Weet je wel. Je zou me "schattebout" noemen.'

'O ja. Sorry, schattebout. Hé, is 't goed als ik je zoen, schattebout?'

'Dat vind ik toch zo fijn, dat je dat altijd vraagt,' zei Christie. Ze zoenden elkaar opnieuw.

'Misschien kunnen jullie beter niet bij mij blijven zitten,' zei Holly. 'Want de kans op neerslag is honderd procent. Ik ga kotsen of huilen, een van de twee.' Het was wel duidelijk dat Rob geen moment bang hoefde te zijn dat Christie kritiek op hem zou hebben. En niemand zou haar ooit kieskeurig noemen. En tegen voortdurend OVG, Openbaar Vertoon van Genegenheid, had ze blijkbaar ook geen bezwaar.

'Nummer 2507!' riep Rebecca. De gasten gaven boekjes van zwart vinyl door die vol songtitels stonden. Bij elke song stond een nummer. Je koos wat je wilde zingen, schreef titel en nummer op een stukje papier en leverde dat in bij de jongen die het karaokeapparaat bediende. Als je nummer werd afgeroepen was je aan de beurt.

'Dat ben ik,' zei Rob. Hij stond op en liep naar het podium.

'Dat kan interessant worden,' zei Holly. 'Ik heb hem nog nooit horen zingen.'

De muziek begon en de titel verscheen op het scherm: 'God

Save the Queen' van de Sex Pistols.

'Nee, hè, geen punkliedje,' kreunde Holly. 'Dat is karaokezelf-moord.'

Het nummer begon. Rob deed zijn best het uit zijn strot te krij-gen. Ontzettend slecht. Hij was een ramp. Maar dat gaf niet omdat hij zelf wist dat hij een ramp was en zich er niets van aantrok, hij leefde zich gewoon lekker uit. Dat vond Holly leuk van hem. Maar toch was hij een ramp.

Toen hij klaar was klapte iedereen, tenslotte waren ze allemaal vrienden. Hij liep terug naar zijn tafel en naar Christie.

'Je was echt fantastisch!' overdreef ze. 'Je klonk net als Johnny Rotten. De zaal stond echt op zijn kop!'

'Dank je,' zei Rob. 'Ik weet wel dat ik eigenlijk niet kan zingen, maar –'

'Juist wel!' zei Christie. 'Je zou met Idols moeten meedoen. Dat meen ik echt.'

'Dat kotsfestijn waar je het over had, Holly,' fluisterde Mads. 'Mag iedereen daaraan meedoen?'

'Het ergste is dat hij ervan geniet!' zei Holly. 'Hij vindt het heer-lijk.' Maar wat echt het ergste was, was dat ze hem nog steeds terug wilde. Wat zou ze moeten doen om hem terug te krijgen? Wilde hij echt zo'n meisje als Christie?

Goed dan, Rob Safran, dacht ze. Ik snap het. Jij wilt een meisje dat alles aan jou geweldig vindt. Een meisje dat nooit kritiek op je heeft. Nou, zo kan ik ook zijn. Als jij zo'n soort meisje wilt, dan word ik dat.

De oude Holly zou een opmerking over dat nobody-shirt heb-ben gemaakt. Maar de nieuwe Holly houdt haar mond. Als ze niets aardigs te zeggen heeft, zegt ze liever helemaal niets. Misschien zou ze dat Rob zelfs door middel van een liedje duidelijk maken. Ze bla-derde het songboekje door op zoek naar 'Just the Way You Are'.

'Dus die jongen was eerst jouw vriend?' vroeg Stephen aan haar.

Voor Holly kon antwoorden kwam Mads ertussen. 'Ze zijn een paar keer uit geweest, maar nu voelt ze compleet niks meer voor hem.'

Stephen knikte en keek weer naar Rob. Holly wierp Mads een blik toe maar zei niets. Wat was er aan de hand? Mads wist best dat het niet waar was.

Het feest was nu in volle gang. Je kon de mensen nauwelijks horen praten met al dat overdreven gejodel de hele tijd. Lina ontdekte Walker een paar tafels verderop met enkele vrienden. Hij zwaaide naar haar. Autumn kwam naar Holly's tafel en trok een stoel bij.

'Leuk dat jullie er zijn,' zei ze. 'Ik wist wel dat jullie dit niet wilden missen. Hé, hebben jullie al gehoord dat Alex Sipress vrijdagavond een feest geeft? Dat wordt een knaller!'

Holly keek even naar Mads. Dit was een teer punt voor haar.

'Gaat iedereen naar Alex?' vroeg Mads. 'Want ik geef die avond ook een feest, hoor.'

'O ja, dat is waar ook,' zei Autumn. 'Maar Alex' ouders zijn de stad uit. En bovendien zit hij in de twaalfde. Dus ik denk dat zijn feest wint. Sorry, Mads. Waarom houd jij je feest niet op een andere avond?'

'Omdat ik iedereen al heb uitgenodigd en omdat het als afsluiting van de Kunstexpo bedoeld is!' zei ze.

'Nou, er zullen vast wel een paar mensen komen,' zei Autumn.

'Nummer 4707!' riep Rebecca.

'O! Dat ben ik weer!' Haastig liep Autumn naar het podium om *Yesterday* te zingen.

'Ik kan mijn feest net zo goed afzeggen,' zei Mads. 'Het wordt een complete flop.'

'Wij komen wel hoor, Mads,' zei Lina.

'Ik ook,' zei Stephen. 'Mij kan het niks schelen dat Alex hoe-heet-ie's ouders de stad uit zijn.'

'Bedankt, jongens,' zei Mads. 'Maar bij Alex is het vast leuker.'

'Niet afzeggen,' zei Holly. 'Je weet nooit wat er gebeurt. Misschien wordt jouw feest wel een groot succes! Wacht maar af.'

'Ik kan het trouwens niet eens afzeggen,' zei Mads. 'Mijn vader en moeder en mijn oom en tante zijn er. Ook al komt er verder geen mens opdagen, ik moet er zijn. God, toch niet te geloven dat ik naar mijn eigen stomme feest moet! Ik wou dat ik het kon afblazen.'

'Weet je wat jij nodig hebt?' zei Stephen. 'Zingen.' Hij bladerde het boekje door en schreef een nummer op. 'Als ze nummer 3416 afroepen, ga jij het podium op.'

'Welk liedje is dat?' vroeg Mads. 'En als ik het nou niet ken?'

'Je kent het wel,' zei Stephen. Hij gaf het briefje aan de karaoke-jongen.

'Hoi meiden, ik heb jullie nog geen van allen op het podium gezien,' zei Sebastiano. Hij trok een stoel bij.

'Nummer 3416!' schreeuwde Rebecca.

'Dat ben jij, Mads!' zei Lina.

'Nee hè,' zei Mads.

'Kom op!' Sebastiano sleurde haar overeind en duwde haar in de richting van het podium. De songtitel kwam in beeld. 'Satisfaction' van de Rolling Stones.

'Dat is een lastige,' zei Holly. 'Dat kan alleen Mick Jagger goed zingen.'

'Ze kent het uit haar hoofd,' zei Stephen. 'Ik heb haar het een keer zachtjes horen zingen terwijl ze zat te tekenen. Ze krijgt iets grommends in haar stem… Geloof mij maar, ze kan het best.'

Mads begon te zingen, eerst verlegen, maar het duurde niet lang of ze was aan het grommen en schreeuwen en over het piepkleine podium heen en weer aan het paraderen. Algauw kreeg ze iedereen mee en werd het refrein luidkeels meegezongen. Toen het afgelopen was, brulde de hele zaal. Toen Mads in een roes naar haar plaats terugliep, kreeg ze van alle kanten goedkeurende duwtjes.

'Wauw, dat was leuk!' zei ze.

'Prachtig zoals je je publiek bespeelde, Mads,' zei Sebastiano.

'Ergens schuilt er een ster in je.'

'Denk je?'

'Ach, het is natuurlijk wel een aanstekelijk nummer,' zei Sebastiano.

Walker kwam aanlopen. 'Zo meteen ben ik aan de beurt en ik heb een partner nodig, Lina.'

Lina deinsde achteruit. Als ze ergens geen zin in had was het wel om op een podium te gaan staan zingen. Ze was nog steeds aan het bijkomen van haar geheime rendez-vous die middag. En om zo van hoempaband op karaoke over te gaan, dat was wel wat veel kitsch voor één dag.

'Sorry, Walker,' zei ze. 'Ik ben nogal moe.'

Hij greep haar bij haar hand en trok haar van haar stoel. 'Jammer dan. Het is een duet. Ik ga het niet in mijn eentje zingen. Wil je dat ik voor gek sta?'

'Nee,' zei Lina. 'Maar ik wil ook niet voor gek staan.'

'Kom op, Lina,' zei Holly. 'Iedereen moet er minstens één keer aan geloven.'

'Het is leuk!' zei Mads.

Lina merkte wel dat ze geen keus had. Walkers nummer werd afgeroepen, een oudje dat 'Don't Go Breaking My Heart' heette, van Elton John en Kiki Dee.

'Ken je het?' vroeg hij.

Ze knikte. 'Mijn vader luistert vaak naar de jaren-zeventig-zender.'

'Mijn moeder ook. Zij zong dit nummer altijd voor me.'

Ze begonnen verlegen, maar kwamen algauw op dreef. Lina keek naar het publiek, gewoon kinderen van school, haar vrienden, die meedeinden en -klapten. Ze liet zich gaan en voor ze er erg in had was het nummer afgelopen.

'Super! Woeoeoe!' juichte de menigte. Lina stommelde tussen de klappende mensen door naar haar tafel terug.

'Je rockte!' zei Mads.

'Je had gelijk, het was leuk,' zei Lina.

Holly kon nog steeds niet vergeten dat Rob en Christie er ook waren, maar ze begon zich tenminste een beetje te vermaken. Toen werd het nummer van alweer een duet afgeroepen, dit keer van Rob en Christie.

Sebastiano keek haar vol verwachting aan. 'Ik wacht,' zei hij. 'Dodelijk commentaar? Waar blijft het?'

'Dat komt niet,' zei Holly. 'Dit is de nieuwe, niet-kritische Holly. Geen dodelijk commentaar. Christie lijkt een heel aardig meisje.'

'Toe nou, Holly,' zei Sebastiano. 'Als je het vijf minuten volhoudt zonder haar te beledigen, ben ik diep geschokt.'

Rob en Christie zongen 'Crazy in Love' van Beyonce en Jay-Z. Het was vreselijk. Christie zong nog slechter dan Rob. Maar wat erger was, ze miste zijn gevoel voor humor op dat punt. Ze scheen te denken dat ze Jessica Simpson was die daar op het podium vol gevoel aan het zingen en dansen was.

'Au,' zei Sebastiano om Holly uit de tent te lokken. 'Die zou bij Idols nog niet eens door de eerste ronde komen.'

'Ze doet haar best,' zei Holly. 'Meer mogen we toch niet vragen?'

'Kom nou, Holly. Moet je zien hoe ze danst! Alsof ze net door een bij in haar kont is gestoken! Je weet best dat je dat zou willen zeggen.'

'Dat zou maar kleinzielig van me zijn,' zei Holly. 'Diep vanbinnen is Christie vast een goed iemand. En daar gaat het toch om?'

'Nou ben jij degene waar ik misselijk van word, Holly,' zei Mads.

'Sst! Wees maar niet bang, Mads,' zei Sebastiano. 'Ze kan elk moment ontploffen.'

'Nee, hoor,' zei Holly. 'Jullie denken zeker dat ik totaal geen zelfbeheersing heb.'

Niemand zei iets.

'Jullie worden bedankt,' zei Holly.

Het duet zat erop. Jammer genoeg had het de stemming enigszins bedorven.

'Zal ik je eens wat zeggen, Holly? Je hebt gelijk,' zei Sebastiano. 'Het viel eigenlijk best mee. Het had wel iets van therapeutische kunst. Weet je wat ik bedoel? Van die kunst die gevangenen en psychiatrische patiënten van afval maken? Dat is tegenwoordig heel populair.'

'Ja,' zei Holly. 'Alleen zou zelfs een psychiatrische patiënt geen knots van een haarspeld in de vorm van een koe dragen.'

Oeps.

'Aha!' riep Sebastiano. 'Beet!'

Ze kon er niets aan doen. Het was zo moeilijk om niet vals te zijn met Sebastiano in de buurt. 'Dat kwam vanzelf uit mijn mond,' zei Holly. 'Het is jouw schuld!' En ook nog precies op het moment dat Rob langs hun tafel kwam. Ze keek op. Ja, hij had haar beslist gehoord.

'Weet je wat jouw probleem is, Holly?' zei hij. 'Je hebt het zo druk met kritiek op anderen leveren dat je niet meer weet hoe je lol moet hebben. Ik heb jou nog niet het podium op zien gaan om iets te zingen. Ik wed dat je niet durft. Straks zit er iemand in het publiek die net zo gemeen en kritisch is als jij.'

Hij ging naar zijn tafel terug. Christie hield giechelend haar hand voor haar mond.

'Nou nou,' zei Sebastiano. 'Die was raak.'

Holly zuchtte en zakte onderuit op haar stoel. 'Dat is belachelijk,' zei ze. 'Daar klopt niks van. Ik weet best hoe ik lol moet hebben. En ik ben niet bang.'

Maar of hij nu gelijk had of niet, dat deed er niet toe. Als Rob zo over haar dacht, zou ze hem nooit terugkrijgen.

# 20 Vertrek naar India

Aan: linaonme
Van: Elke dag je horoscoop

Dit is je horoscoop voor vandaag: Kreeft: Je sterren laten een heleboel leugens en gekonkel zien, ze staan zelfs in de vorm van een
kronkelig web. Dit kan ik niet door de vingers zien. Wat is daar bij
jou in vredesnaam allemaal aan de hand?

Aan: Larissa
Van: Beauregard
Re: ???

Lieve Larissa,
Ik denk dat je al weet wat ik je ga vragen. Misschien kan ik het
beter niet vragen, maar ik moet het weten: waarom ben je
vandaag niet komen opdagen? Had ik het adres verkeerd? De
afspraak? Het tijdstip? Ik was om vijf voor een in The Garden
Restaurant en heb er drie uur op je gewacht. Ik had nog wel
langer willen blijven, maar als ik die band nog één keer 'Haal
nog eens een vaatje' had moeten horen spelen, had ik iemand
overhoop geschoten. Waarschijnlijk mezelf. (Een vreemde plek
om af te spreken, trouwens, maar dat maakt jou in mijn ogen
alleen maar geheimzinniger. Wat voor meisje komt graag in zo'n
zaak? Een ongewoon meisje, dat zeker. Tenzij je natuurlijk geen
moment van plan bent geweest te komen en mij alleen maar
wilde kwellen.)
Daarom zou ik het op prijs stellen als je je zou willen verwaar-
digen het uit te leggen. Als je wilt dat ik je niet meer schrijf, zal
ik ermee ophouden. Als ik niets van je hoor, hoor je ook niets
meer van mij. Vergeef me mijn sombere toon, maar je hebt geen

idee hoe ik ernaar uitkeek je te ontmoeten, en hoe teleurgesteld en gedesillusioneerd ik was toen je helemaal niet kwam.
Beauregard

Lina vond Dans mail toen ze thuiskwam van Autumns feestje. Het deed haar pijn hem te lezen. Ze schaamde zich, en zijn bestraffende toon maakte het alleen maar erger. Wat kon ze zeggen? Hoe kon ze zich excuseren voor de afschuwelijke manier waarop ze hem had behandeld? En hoe kon ze eronderuit hem persoonlijk te ontmoeten zonder dat er een eind kwam aan de correspondentie die haar zo dierbaar was?

Want ze wist dat ze hem niet persoonlijk kon ontmoeten, niet zo. Hij was emotioneel te verknocht aan Larissa. Als hij erachter kwam dat Larissa een van zijn leerlingen was, zou dat hem harder treffen dan als hij helemaal nooit te weten kwam wie ze was.

Maar tegelijkertijd kon ze Beauregard niet loslaten. Daarvoor betekende hij te veel voor haar. Van zijn mails ging ze zich warm van binnen voelen, mooi en geliefd. En het was zo leuk om Larissa te zijn! Ze kreeg haast het gevoel dat Larissa echt was, echt een deel van haar, de volwassen Lina die nog niet naar buiten kwam maar dat ooit zou doen.

Ze haalde diep adem en probeerde na te denken. Haar handen trilden. Goed. Ze moest een reden bedenken waarom ze hem niet kon ontmoeten, iets geloofwaardigs, iets wat hij haar kon vergeven.

Aan:   Beauregard
Van:   Larissa
Re:   Het spijt me zo!

Lieve Beau,
Het spijt me zo dat ik vanmiddag niet kon komen, maar ik heb een goed excuus, dat zweer ik! Ik kom net terug van het

dierenziekenhuis. Toen ik van huis wilde gaan voor mijn afspraak met jou werd mijn kat opeens doodziek. Hij had een heel zakje gombeertjes opgevreten. En die blijken puur vergif te zijn voor poezen: ze blijven in hun maag steken. De dierenarts nam hem meteen mee de operatiekamer in, en daar is hij net uit gekomen. Waarschijnlijk komt het weer goed met hem. Ik zou je wel gebeld hebben maar ik wist niet hoe ik je kon bereiken. Het spijt me zo. Ik had niet gedacht dat je zo lang op me zou blijven wachten. The Garden is wel grappig, hè? Ik weet best dat het er oubollig is, maar ik dacht dat we elkaar daar zouden kunnen treffen, dan hadden we wat te lachen, om daarna ergens heen te gaan waar je prettiger zit. Ik moet er niet aan denken dat jij drie uur lang die band hebt moeten aanhoren! Dan zul je nu wel stokdoof zijn. Goed, ik moet eens naar bed, ik ben doodmoe. Het is een lange dag geweest en ik moet weer vroeg op om Spike op te zoeken in het ziekenhuis. Ik hoop dat je me wilt vergeven.
Lara

Ze verzond de mail, en na een paar minuten kwam er al antwoord. Dan was zeker opgebleven om te wachten tot ze iets liet horen.

Aan:   Larissa
Van:  Beauregard
  Re:  Het spijt me zo!

Lara,
Wat rot dat je kat ziek is. Ik hoop dat hij er weer bovenop komt. Ik had er geen idee van dat gombeertjes zo giftig waren. Heb je hem naar een filmer genoemd, Spike Jonze misschien, of Spike Lee? En ik vergeef het je. Ik hoop dat je mij mijn kwade mailtje vergeeft, en dat ik niet meteen begreep dat je een goede reden moest hebben om niet te komen.

Laten we daarom maar een nieuwe afspraak maken. Wanneer kunnen we het opnieuw proberen? Volgend weekend misschien? Maar alleen niet in The Garden Restaurant, als je het niet erg vindt.
Enorm opgelucht,
Beau


Hmm, ze had beter even bij Mads' moeder kunnen checken voor ze dat hele verhaal over giftige gombeertjes ophing. Dat klopte vast niet. Maar ze zat nog steeds met hetzelfde probleem. Hij wilde haar nog steeds ontmoeten. Ze moest een reden verzinnen waarom hij haar nooit zou kunnen ontmoeten, in elk geval de eerste paar jaar niet. Maar welke?

Nu zou haar talent voor schrijven en liegen pas echt op de proef worden gesteld.

Aan: Beauregard
Van: Larissa
Re: Vertrek naar India

Lieve Beau,
Ik wou dat ik je kon ontmoeten. Ik zou je dolgraag ontmoeten. Geloof me, ik barst van nieuwsgierigheid naar jou. Maar er is één probleem. Een groot probleem. Ik heb net gehoord dat ik op het Bollywood Film Center in Mumbai in India ben aangenomen. Daar ga ik de technieken van de grote Indiase filmmakers bestuderen. Omdat ik mijn afstudeerscriptie over Indiase films schrijf, is dit niet alleen een grote eer maar ook van essentieel belang voor me. En jammer genoeg vertrek ik deze zaterdag al. Ik moet nog zoveel voorbereiden dat ik bang ben dat ik geen tijd overhoud om iets met jou af te spreken. Dat heeft trouwens ook niet veel zin, omdat ik voor onbepaalde tijd in India blijf. Maar

we kunnen elkaar wel blijven schrijven, en misschien kunnen we elkaar ontmoeten als ik terug ben.

Je kunt me op dit adres blijven schrijven, mijn server stuurt al mijn mail door naar mijn adres in India. En hoor eens, als je toevallig eens in India bent moet je het laten weten. Misschien zien we elkaar dan wel voor het eerst bij de Taj Mahal.

Larissa

Daar zou hij zich toch bij neer moeten leggen, dacht Lina bedroefd. Ze hoopte bijna dat hij niet terug zou schrijven. Ze zou massa's research over India moeten doen als ze het wilde laten klinken alsof ze daar studeerde. Misschien had ze beter Japan kunnen kiezen, daar kwamen haar voorouders tenminste vandaan. Maar dat was al zo lang geleden – rond 1880 – dat zelfs haar oma er niet veel van afwist.

Dan schreef die avond niet meer terug. Misschien was hij aan het verwerken wat ze had geschreven, probeerde hij uit te puzzelen wat waar was en wat gelogen. Ze hoopte maar dat hij niet te dicht bij de waarheid zou komen, namelijk dat het allemaal gelogen was. Dat er in alle mails die ze hem had gestuurd geen woord waar was. Behalve dat ene: ze was totaal verliefd op hem. En nu nog erger dan eerst. Ze zou alleen een andere manier moeten vinden om hem te pakken te krijgen.

# 21 Ware liefde versus artistieke integriteit

Aan:   mad4u
Van:   Elke dag je horoscoop

Dit is je horoscoop voor vandaag: Maagd: Niets wat je doet gaat zoals jij het had gepland. En dat is maar goed ook. Als jij het universum bestuurde zou het een grote puinhoop worden.

Mads ging een stukje bij haar ezel vandaan staan en bekeek haar poster-grote tekening van Sean. Hij stond in dezelfde houding als op de foto die ze van hem had genomen, maar nu hij zo vergroot was – een meter twintig hoog – maakte de afbeelding een heel andere indruk. Sean stond in zijn zwembroek op de tegelvloer, met zijn zwembrilletje om zijn nek, zijn badmuts in zijn hand en zijn armen uitgestrekt, zodat zijn biceps gespannen waren. De spieren puilden een beetje uit. Zijn gezicht stond, tja, hoe moest ze dat noemen? Zelfverzekerd zou wel de vriendelijkste manier zijn om het uit te drukken. Zelfvoldaan klonk iets minder aardig. Maar ijdel kwam het dichtst bij de waarheid.

'Stephen, kom eens hier,' riep ze. Stephen was klaar met zijn installatie, maar hij wilde niemand, zelfs Mads niet, het eindresultaat laten zien. Hij had hem uit elkaar gehaald en was alles aan het inpakken om het de volgende ochtend naar de gymzaal te verhuizen, waar hij het weer in elkaar ging zetten voor de Kunst-expo begon.

'Wat is er?' vroeg hij. 'Is het af?' Hij kwam het lokaal door lopen om haar werk te bekijken.

'Het is af,' zei Mads. 'Wat vind je ervan?'

Stephen vouwde zijn armen over elkaar en keek naar het portret. Mads hield zijn gezicht in de gaten. Zijn mond vertrok op een vreemde manier. Toen kneep hij zijn lippen samen in de richting van zijn neus. Hij zag eruit alsof hij moest niezen. Hij sloeg zijn handen voor zijn gezicht.

'Wat?' vroeg Mads. 'Wat is er?'

Stephen liet zijn handen weer zakken. Hij brulde van het lachen. 'Om te gillen!' zei hij. 'Het is ontzettend goed, Mads. Dat is hem sprekend.' Hij zakte op de vloer van het lachen.

'Wat is er zo grappig?' vroeg Mads. 'Waarom doe je zo –' Ze keek weer naar het portret, en opeens zag ze het. Ze had zo haar best gedaan te laten zien hoe adembenemend Sean was, en hij zag er inderdaad adembenemend uit – maar het was bijna te veel van het goede. Het portret leek wel een cartoon van een Grieks standbeeld, en de uitdrukking op zijn gezicht maakte duidelijk dat hij zichzelf volkomen serieus nam. Het contrast tussen die zelfvoldane blik en die bespottelijke Herculeshouding... Stephen was nog steeds niet uitgelachen. Mads begon mee te doen.

'Oh – my – god –' wist ze tussen het lachen door uit te brengen. 'Je hebt gelijk. Het – is – echt – idioot –'

Ze zakte op de vloer en ze leunden tegen elkaar, rug tegen rug, en hielden hun buik vast van het lachen. Mads' hoofd knalde per ongeluk tegen dat van Stephen. 'Au!' riepen ze allebei tegelijk, en moesten toen nog harder lachen terwijl ze over de zere plek wreven.

Mads had zo haar best gedaan op dat portret. Ze had het zo serieus genomen. Maar die blik op Seans gezicht...

Stephen kreeg weer wat adem. 'Ik hoop dat je het niet verkeerd opvat, Mads. Het is een goed portret. Erg goed. Het beste van al je portretten. Behalve misschien dat van Holly. Dat is ook geweldig.'

Natuurlijk. Ze wist dat hij dat prachtig vond.

'Zoals je de sfeer van het zwembad achter hem suggereert, dat is schitterend,' zei hij. 'En die houding...' Ze werden weer door een giechelaanval overvallen. 'Sean moest het eens zien...'

Mads stopte met lachen. O help! Sean zou het echt te zien krijgen.

De volgende dag al. Ze werd zenuwachtig.

Wat zou hij ervan vinden? Hij zou het wel afschuwelijk vinden, en kwaad op haar worden omdat ze hem voor gek zette. Woedend zou hij zijn! Misschien zou hij wel nooit meer een woord tegen haar zeggen!

'Misschien kan ik het beter buiten de expo houden,' zei Mads.

'Wat?' Stephen was verontwaardigd. 'Dat kun je niet maken. Het is een prachttekening, Mads. Ik wed dat je er een prijs mee wint.'

'Maar –'

'Als je dat portret van de expo terugtrekt, zet ik het er zelf weer bij. Als het moet, zet ik er mijn naam wel bij. De mensen moeten dat portret zien. En Sean moet het zeker zien.'

Mads keek weer naar de tekening. Ze wist dat hij goed was. Ze wilde een prijs winnen. Misschien zou Sean het goed opnemen. Maar waarschijnlijk zou hij er nijdig over zijn.

'Misschien wint Holly's portret een prijs,' zei ze.

'Misschien,' zei Stephen. Ze zag hem er bewonderend naar kijken. Hij bleef een hele poos naar Holly's portret staren.

Hij vindt Holly heel leuk, dacht Mads. Had zij nou ook maar oog voor hem... Mads had over een halfuur met Holly en Lina in Vineland afgesproken. Misschien moest ze Stephen meenemen en eens kijken wat ze nu weer voor onheil kon aanrichten.

'Ben je bijna klaar met inpakken?' vroeg ze. 'Heb je zin om koffie met me te gaan drinken?'

Stephen keek verbaasd en blij. Wacht maar tot hij Holly ziet, dacht ze. Dan is hij pas echt blij.

'Goed idee. Ik ben zo klaar.'


Zodra Mads de deur naar het café opentrok zag ze Holly en Lina aan een tafeltje zitten wachten.

'Eh, is dit eigenlijk een date of zoiets?' vroeg Stephen.

Verbaasd keek Mads hem aan. Had hij nu hij Holly zag meteen

door waar ze mee bezig was?

'Niet echt een date, lijkt me,' antwoordde ze. 'Gewoon koffie. Maar een date kan ook geregeld worden, als je geïnteresseerd bent.'

'Dat wil ik best,' zei hij.

Oké, dus dat was duidelijk. Stephen wilde dat ze hem met Holly in contact bracht. Nu alleen Holly nog zover krijgen dat ze daarmee instemde, en dat zou wel eens minder makkelijk kunnen zijn. Maar misschien klikte het nu vanmiddag.

Holly en Lina zaten al aan hun tweede cappuccino. Stephen glimlachte verlegen naar hen.

'Hé, hallo,' zei Holly. 'Zijn jullie klaar voor de grote expositie?'

'Je zou die portretten van Mads eens moeten zien,' zei Stephen. 'Die zijn zo goed.'

'Ik heb gehoord dat jouw installatie ook super is,' zei Holly. 'Mads heeft erover verteld. Voor zover ze hem heeft gezien.'

'Ze heeft het nog niet allemaal bij elkaar gezien,' zei Stephen. 'Dat heeft nog niemand. Ik wil dat het een verrassing is, voor het ultieme effect.'

'Hoe gaat het met de plannen voor je feest, Mads?' vroeg Lina.

'Best, geloof ik,' zei Mads. 'Het zou geen complete ramp moeten worden, als mijn vader en moeder tenminste niet alles verpesten.'

'Mag ik Ramona uitnodigen?' vroeg Lina. 'Als je nog niet te veel mensen krijgt, bedoel ik.'

Mads snoof. 'Geintje zeker? Te veel mensen? Dat lijkt me geen probleem. Maar ik dacht dat je Ramona niet mocht.'

Lina wist niet goed hoe ze het moest uitleggen. 'Ik mag haar en ik mag haar niet,' zei ze. 'Het zit een beetje raar tussen ons. Maar ik weet dat ze graag wil komen.'

'Nodig haar dan maar uit,' zei Mads.

'Ik moet ook al iets vragen,' zei Holly. 'Mag ik Britta Fowler mee-brengen naar je feest?'

'Wie is Britta Fowler?' vroeg Mads.

'Ze zit in de elfde,' zei Holly. 'Haar ouders zijn vrienden van Curt en Jen. Het is een heel aardig meisje, maar ze zit altijd te leren en ze heeft nog nooit een vriend gehad. Ze is mijn volgende dating-project. Ik dacht, als het me lukt Autumn aan een jongen te helpen, dan lukt het me bij iedereen. En bovendien hebben haar ouders me gevraagd te helpen haar sociale leven een beetje op te peppen.'

'Breng maar mee,' zei Mads. 'Ik hoop dat ze het niet erg vindt om op een stom feest te zijn. Want mijn feest wordt stom. Iedereen gaat naar dat van Alex.'

'Het wordt niet stom, Mads,' zei Holly. 'Maar Britta ziet het verschil toch niet.'

'Maak je geen zorgen, Mads,' zei Stephen. 'Alle écht coole mensen komen naar jou.' Hij keek van Mads naar Lina en Holly. Mads meende zijn blik even iets langer op Holly te zien rusten. Holly keek hem glimlachend aan. Jackpot!

Toen ze weggingen zei Stephen tegen Mads: 'Leuke vriendinnen heb je.'

'Dank je,' zei ze. 'Ze vinden jou ook aardig.'

'Fijn,' zei Stephen.

Aan Stephens kant zat het allemaal wel goed. Kon ze nu Holly maar zover krijgen dat ze hem een kans gaf.

Ik zal het er morgen met haar over hebben, zei Mads tegen zich-zelf. Dan vraag ik haar om met Stephen uit te gaan, en als ze niet wil, praat ik haar wel om. En dan is iedereen tevreden.

Behalve Sean, als hij zijn portret ziet.

En ik, nadat Sean zijn portret heeft gezien en mij niet meer kan uitstaan. En nadat mijn feest een afgang is geworden en mijn po-pulariteit zijn absolute dieptepunt bereikt.

Ach ja. Min-of-meer-cool zijn was leuk zolang het duurde.

# 22 De Kunstexpo

Aan:  mad4u
Van:  Elke dag je horoscoop

Dit is je horoscoop voor vandaag: Maagd: Je bent vandaag zenuwachtig, maar maak je maar niet druk. Je grootste vrees wordt geen werkelijkheid. Je op-een-na-grootste misschien, maar je grootste niet.

Leerlingen die aan de Kunstexpo meededen kregen die vrijdagochtend vrij om hun inzendingen in de Salon des Arts, oftewel de gymzaal, uit te stallen. Frank Welling wees Mads drie mobiele presentatiewanden toe. Zorgvuldig hing ze haar pastelportretten op: M.C., de Duistere Opperheer, Audrey en Adam op de linkerwand, Holly, Lina, haar boxerpup Boris en Kapitein Mauw-Mauw rechts en in het midden, de ereplaats, haar meesterstuk, het grootste van al haar portretten en het enige waarop de hele persoon stond: De zwemmer.

'Misschien ziet Sean het niet,' zei Mads tegen Ramona, die even was komen zeggen dat ze graag op Mads feest wilde komen. Ramona had zelf ook een inzending voor de tentoonstelling, één tekening in pen en inkt met de titel Souvenirs van mijn laatste uitstapje naar de hel. 'Misschien herkent hij zichzelf niet. Ik heb zijn naam er niet bij gezet.'

'Ik vind het rot om te zeggen, maar dat is uitgesloten,' zei Ramona. 'Tenzij hij helemaal niet komt kijken.'

'Dat zou kunnen,' zei Mads. 'School en alles eromheen is niet zijn grootste hobby.'

'Iedereen loopt minstens één keer de Kunstexpo door,' zei Ramona. 'Hij hoort het wel van iemand. Op elke Kunstexpo is wel één stuk waar iedereen lol om heeft of dat iedereen shockeert. En het ziet ernaar uit dat jij daar dit jaar voor zorgt.'

Geweldig. Mads wilde best dat iedereen het over haar werk had, maar niet omdat ze de populairste jongen op school woest had gemaakt.

'Het is wel ontzettend goed,' zei Ramona. 'Tot kijk dan maar.'

Mads keek het doolhof van mobiele presentatiewanden door en ontdekte Stephen achter in een hoek, waar hij zijn installatie aan het opzetten was. De 'muren' van de 'slaapkamer' waren met papier bedekt, en zouden pas worden onthuld als de expositie werd geopend. Hij zwaaide naar haar en riep: 'Wegblijven! Niet gluren voor het zover is!'

'Oké, maar dan geldt dat voor jou ook,' zei ze. 'Je mag mijn werk ook pas zien als de expositie geopend is.'

'Ik heb alles van jou al gezien,' zei hij. 'Je bent toch niet teruggekrabbeld, hè?'

Ze wist dat hij het over Seans portret had. 'Nee,' zei ze. 'Het hangt erbij.'

Hij stak zijn duim naar haar op en ging door met zijn werk. Ze bleef nog een paar minuten naar hem staan kijken. Hij had iets, dat serieuze of dat ijverige, wat haar aansprak. Was dat een miniem vleugje verliefdheid wat daar in haar binnenste kietelde? Ze onderdrukte het meteen. Holly moest van Rob worden afgeleid; zij had Stephen harder nodig. En bovendien had Stephen een oogje op Holly, niet op Mads. Dat zat er niet in.

In de middagpauze ging de expositie officieel open en stroomden de eerste leerlingen binnen. De juryleden, voornamelijk leraren tekenen en handvaardigheid van andere scholen, liepen langzaam rond, bestudeerden elk werkstuk nauwkeurig en maakten aantekeningen. Holly en Lina liepen regelrecht op Mads presentatie af.

'Schitterend!' riep Holly. 'Sean ziet eruit of hij zo van het papier af kan komen duiken.'

'Gefeliciteerd, Mads,' zei Lina. 'Je portretten zijn prachtig.'

'Hebben jullie Christie Hubbards werk al gezien?' vroeg Holly.

'Nee,' zei Mads. 'Ik heb nog geen kans gehad om de rest van de expo te bekijken. Is het wat?'

'Ik heb het ook nog niet gezien,' zei Holly. Ze beet op haar lip. Mads kon zien dat Rob haar nog steeds hoog zat.

'Hoor eens, Holly,' zei ze. 'Je moet eens ophouden met aan Rob te denken. Ik weet iemand die jou heel aardig vindt, en ik denk dat jij hem ook aardig zou vinden.'

'Wie dan?' Holly keek wantrouwig.

'Stephen. Ik weet dat hij met je uit zou gaan als je wilde. Hij vindt je het mooiste meisje van de hele school. En hij is heel aardig. En hij draagt nooit T-shirts met grappige teksten erop. Zal ik iets voor jullie regelen?'

'Vindt hij me mooi? Hoe weet je dat?'

'Dat heeft hij gezegd. Toen hij je portret zag, zei hij dat hij het schitterend vond.'

'Dat is het ook,' zei Lina.

Holly dacht er even over na. 'Hij lijkt een prima jongen,' zei ze. 'Maar ik wil niet met hem uit, Mads. Ik ben nog steeds gek op Rob.'

Mads voelde ergernis. 'Maar Christie dan? Zit die niet een beetje, hoe zal ik het zeggen, in de weg?'

'Daar ga ik nu iets aan doen,' zei Holly. 'Ik ga haar schilderwerk of haar tekeningen of haar Play-Dohwerkje of wat het ook is nu meteen bekijken. En hoe slecht het ook is, ik prijs het de hemel in, waar Rob bij is. Dan ziet hij eens hoe aardig ik kan zijn. Ik ben niet kieskeurig en ik ben niet kritisch, en dat zal ik Rob laten merken ook, al moet ik op mijn blote knieën voor die stomme trut van een vriendin van hem knielen.'

'Het is te hopen dat hij die nieuwe onkritische Holly geloofwaardiger vindt dan ik,' zei Lina. 'Als hij je ook maar een klein beetje kent, geloof ik nooit dat hij erin trapt. Wat denk jij, Mads?'

Mads gaf geen antwoord. Ze kon Stephen niet uit haar hoofd krijgen. Ze had hem zo ongeveer een date met Holly beloofd, en nu wilde Holly niet. Hoe moest ze hem dat vertellen?

Mads wilde bij haar eigen werk weg om rond te gaan kijken, maar daar kreeg ze absoluut geen kans voor. Ze werd die hele middag op haar plaats vastgehouden. Er bleven mensen langslopen, die dingen over haar portretten vroegen en haar vertelden hoe goed ze waren. De juryleden bleven staan kijken, ze knikten glimlachend en schreven in hun aantekenboekjes. Seans portret was een grote hit. Een paar van Seans vrienden, Alex, Mo en Barton, bleven bij Mads' stand staan staren en kwamen niet meer bij.

'Man, moet je Benedetto zien!' zei Barton.

'Wacht maar tot hij dit ziet,' zei Mo. 'Muscleman in zijn zwembroek. En die blik van hem. Dat is zijn Superhunkgezicht.'

'Hé, ukkie,' zei Alex. 'Goed werk. Het is echt sprekend Sean, tot en met zijn rare teennagel.'

Dat klopte. Obsessief als ze was, was Mads zelfs de vreemde, bobbelige nagel aan Seans grote teen opgevallen. Hij was wit en geribbeld. Dat kon je zien op de foto die ze van hem had genomen, en daarom had ze ook dat zorgvuldig nagetekend.

'Je bent de Leonardo DiCaprio van Rosewood,' zei Alex nog.

Ze ging er maar van uit dat hij Leonardo da Vinci bedoelde en vatte het als compliment op.

Ze was blij dat Seans vrienden haar portret van hem goed vonden, maar het zat haar niet helemaal lekker dat ze nu al van die pesterige opmerkingen over hem maakten. Hij vergeeft het me nooit, dacht ze. Ik heb de liefde van mijn leven opgeofferd voor artistieke integriteit. Wat ben ik toch een sukkel. Dat is het toch zeker niet waard.

'Kom, dan gaan we die slaapkamertoestand bekijken,' zei Mo. 'Iemand schijnt een hele jongenskamer in elkaar te hebben gezet. Die schijnt echt cool te zijn.'

Tegen het eind van de middag, toen het aanzienlijk minder druk werd, verscheen Sean eindelijk op de expo, alleen. Hij knikte naar Mads en zei: 'Hoi.' Meer niet. Hij ging voor de presentatiewand staan en wierp een vluchtige blik op de portretten van Mads' familie en vriendinnen. Toen bleef hij een hele tijd naar zijn eigen afbeelding staan kijken. Mads kauwde op haar duimnagel. Ze wist zeker dat hij voorgoed de pest aan haar zou hebben. Misschien zou hij nooit meer tegen haar praten. Misschien zou hij tegen haar tekeergaan. Ze wilde alleen maar dat hij een beetje opschoot.

Eindelijk keek hij haar aan. Ze zette zich schrap.

'Zal ik je eens wat zeggen,' zei hij. 'Ik heb een prachtlijf.'

Ze wist niet wat ze hoorde. Dat was niet wat ze had verwacht.

'Eh, ja, dat is zo,' zei ze.

'Cool,' zei hij. 'Mooi zoals je die gespannen spieren in mijn benen hebt getekend.'

Ze kreeg weer wat adem. Die gespannen spieren in zijn benen? Was dat een compliment aan haar, of aan hemzelf?

'Dus... je vindt het goed?' vroeg ze.

'Jezus, ja,' zei hij. 'Dat kan toch niet anders? Ik bedoel maar, ik wil niet opscheppen, maar ik zie er supersexy uit in mijn zwembroek.'

'Ja, precies!' zei Mads. 'Je bent echt sexy in je zwembroek. Daarom wilde ik je ook zo tekenen. Ik ben heel blij dat je het mooi vindt!'

'Natuurlijk vind ik het mooi, ukkie. Jij mag me tekenen zo vaak je maar wilt.'

Frank Welling en de jury kwamen er weer aan, met linten in hun handen. 'Dat is hem,' zei een van de juryleden. Ze prikte een blauw lint naast het portret van Sean. 'Madison Markowitz, je krijgt de eerste prijs voor portretten. Goed werk.'

'Goed gedaan, Madison,' zei Frank. 'Zeker voor een tiende-klasser.'

'Zie je wel, ukkie, ik zei toch dat het goed was,' zei Sean.

'Dank u wel!' zei Mads. Ze had een blauw lint gewonnen! Daar had ze nauwelijks op durven hopen. Maar ze had gewonnen. En dat allemaal dankzij Sean.

'Hé, Sean,' zei ze. 'Moet je horen. Ik geef vanavond een feest bij mij thuis. Om mijn bekroonde portret van jou te vieren. Eigenlijk is het een feest ter ere van jou, dus jij moet er ook bij zijn. Je komt toch, hè?'

'Hoe kan ik nou een feest ter ere van mezelf missen?' zei hij. 'Oké, ik kom. En ik zal zorgen dat al die niet-bekroonde vrienden van me ook komen.'

'Maar Alex' feest dan?' kon Mads niet binnenhouden. Ze wilde niet dat hij beloofde op haar feest te komen en dan niet kwam opdagen.

'Geen probleem, daar gaan we wel met zijn allen na jouw feest heen. Dat zou toch al een nachtfeest worden,' zei Sean. 'Jij moet ook maar meekomen. Laat je eigen feest na een paar uur maar zitten en ga dan met mij mee naar Alex.'

'Nodig jij me uit?'

'Tuurlijk nodig ik je uit. Jij bent nu mijn privé-portretschilderes. Misschien wil je me nog wel vaker tekenen. Je moet wel bij je onderwerp kunnen.'

'Bedankt!' Mads was door het dolle heen. Sean vroeg haar mee naar Alex' feest! En hij kwam naar het hare! Bij haar thuis! Met haar ouders... o help. Ze zou ervoor moeten zorgen dat haar ouders en Audrey haar niet voor gek zetten. En Adam en tante Georgia en oom Skip. Dat lukte hun altijd weer. Misschien kon ze hen allemaal in een kast opsluiten of zo.

Het was een fantastische dag aan het worden. Niet alleen was Sean niet nijdig over haar portret, hij vond het juist prachtig! En hij had haar meegevraagd naar een feest, en haar eigen feest zou nu ook een succes worden. En ze had een blauw lint gewonnen. Ware liefde en artistieke integriteit tegelijkertijd. Wie beweerde dat dat niet kon?

Het was eindelijk niet druk meer op de expositie. Mads liet haar eigen werk in de steek en liep naar Stephens installatie. Iedereen had het erover hoe cool die was. Ze kon niet wachten om hem te zien, maar ze zag ertegen op Stephen te spreken. Want dan moest ze hem vertellen dat hij voorlopig niet met Holly uit zou gaan, en misschien wel nooit.

De installatie was groot, bijna even groot als een echte kamer, met drie muren, een raam, een bed, een kast, een vloerkleed... alles. Naast het bed waren op een tv-scherm video's te zien. Naast de installatie stond een bordje met de tekst: DE JONGEN VORMT DE MAN, DOOR STEPHEN COSTELLO. En daarnaast hing een blauw lint: Eerste prijs voor het beste werkstuk.

'Hé, ik heb ook een blauw lint gewonnen!' zei Mads.

'Gefeliciteerd,' zei Stephen. 'Kom, dan leid ik je rond.' Mads stapte de 'kamer' in en keek om zich heen. Hij was boordevol spullen om te bekijken, maar haar blik werd getrokken door een poster aan de wand. Het was een pin-up-achtige afbeelding van een meisje, een tiener die in een leuke blauwe jurk poseerde onder het opschrift HET DROOMMEISJE. Het leek haast wel een filmposter, alleen was het meisje erop geen filmster – het was Mads!

'Aaa!' bracht ze uit. 'Dat ben ik!'

'Weet ik,' zei Stephen. 'Jij was mijn voorbeeld voor het ideale meisje.'

'Ik? Ik was je voorbeeld?' Ze was totaal overdonderd. Wat wilde dat zeggen? Was het een grap? Wilde hij haar pesten? Zag ze er belachelijk uit, net als Sean in zijn portret? Ze bestudeerde de poster zorgvuldig. Ze vond niet dat ze er belachelijk uitzag. Eigenlijk vond ze dat ze er wel mooi uitzag. Maar goed, dat had Sean ook van zijn portret gevonden. 'Je houdt me voor de gek, hè?'

'Nee,' zei Stephen. 'Ik wilde het ideale meisje laten zien, het soort meisje waar jongens van dromen.'

'Ja hoor, nu weet ik zeker dat je een geintje maakt,' zei Mads. 'Ik ben het ideale meisje niet. Niemand droomt van mij.'

'Weet je dat zeker?' vroeg Stephen.

'Oké, één jongen, die Gilbert heet, maar die is niet normaal.'

'Vind je mij normaal?' vroeg hij.

Wat wilde hij nu zeggen? 'Eh, ik geloof het wel,' antwoordde ze, een beetje onzeker wat hij wilde horen. 'Dat wil zeggen, je bent anders dan de meeste jongens. Maar ik vind je niet raar of abnormaal of zo.'

'Dat is fijn om te weten.'

Mads kon er geen touw meer aan vastknopen. Wilde ze hem net gaan vertellen dat Holly niet met hem uit wilde, en nu vroeg ze zich af of Holly echt wel degene was die hij leuk vond.

'Dus wat dacht je van die date?' vroeg Stephen. 'Gaat die nog door?'

'Niet precies,' zei ze. 'Ik moet je iets vertellen, Stephen. Ik hoop dat het geen al te grote teleurstelling is, maar Holly, nou, die geeft nog steeds om Rob, en –'

'Holly?' vroeg Stephen. 'Wat heeft die ermee te maken?'

'Met haar wilde je toch uit?' vroeg Mads. 'Ik had beloofd dat ik een date met haar voor je zou regelen.'

'Met Holly? Ik dacht dat we het over jou hadden!'

'Over mij?' Mads was stomverbaasd. 'Maar... Holly's portret...'

'Dat is prachtig,' zei Stephen. 'Dat heb je zo goed getekend.'

'Ik...'

'Ik bewonderde het portret, niet het onderwerp. Oké, natuurlijk is Holly een mooi meisje. Maar wat me echt trof was hoe jij haar zag. Jouw artistieke kijk op haar.'

'Mijn artistieke...' Mads' hoofd tolde.

Stephen leidde haar naar een van zijn kartonnen stoelen zodat ze kon gaan zitten. Het ding was verrassend sterk. 'Mads,' zei hij. 'Jij bent het meisje dat ik wil. Ik dacht dat je dat wel doorhad.'

'Nee,' zei ze. 'Ik dacht dat je Holly wilde. De meeste jongens willen Holly.'

'Maar ik wil jou.'

Dit is te veel, dacht Mads. Eerst win ik een blauw lint, dan zegt

Sean dat hij al zijn vrienden meebrengt om mijn feest op te peppen, dan vraagt hij me mee naar Alex' feest, en dan noemt Stephen me het ideale meisje! En hij wil met me uit!

'En, ga je nu met me uit? Morgenavond bijvoorbeeld?' vroeg Stephen.

Mads wilde ja zeggen. Ze stelde zich voor hoe het zou zijn om met Stephen uit te zijn. Tot dat moment had ze zichzelf nog niet toegestaan op die manier aan hem te denken. Maar nu... zij, en Stephen. Stephen die haar zoende! Ze hief haar gezicht naar hem op. Ze wilde dat ze hem nu kon zoenen.

Maar iets hield haar tegen. Sean. Sean had haar daarnet mee-gevraagd naar Alex' feest. Was dat een date? Als Sean nu eens met haar uit wilde? Wat moest ze doen?

Ze probeerde iets te zeggen, maar er kwam geen geluid. Twee jongens tegelijk achter haar aan! Ze had nooit goed begrepen wat daar mis mee was, maar nu snapte ze het.

'Dit verwachtte je niet, hè?' zei Stephen. 'Ik overval je. Geeft niet, Mads, je hoeft niet meteen antwoord te geven. Denk er maar eens over.'

'Bedankt, Stephen.' Hemel, wat was hij aardig. En hij wilde haar! Het zou even tijd kosten om dat goed tot haar door te laten dringen. Ze had nooit verwacht dat een jongen als Stephen – een serieuze, filosofische, artistieke jongen – haar leuk zou vinden. In geen miljoen jaar. Maar het was wel zo.

En waarom eigenlijk niet, dacht ze. Ze was zelf artistiek. Winnaar van een blauw lint.

Ze vond hem ook leuk. Vanaf het begin al. Maar nu kwamen al haar verliefde gevoelens voor hem naar de oppervlakte borrelen. In gedachten herhaalde ze steeds maar dat spannende zinnetje: Stephen wil mij! Stephen wil mij!

Toch was Sean hem voor geweest. En een kans op Sean kon ze niet voorbij laten gaan, niet na al die tijd.

# 23 Het grandioze feest

Aan:   hollygolitely
Van:   Elke dag je horoscoop

Dit is je horoscoop voor vandaag: Steenbok: Niet overdrijven. Je wilt je vijand aanvallen met een atoombom terwijl een tikje van je vinger al voldoende is om te winnen. Chillen!

'Welkom op mijn grandioze feest!' Audrey postte bij de voordeur in een hardroze badstof mini-jurkje, op sandalen met plateauzolen en met een enorme blauwe bloem in haar rossige haar.

'Hé hallo, Malibu Stacy,' zei Holly. Ze arriveerde als een van de eersten op Mads' feest en had een lang meisje bij zich met een brilletje met een zilveren montuur en een dikke bos bruine krullen. Britta Fowler.

'Het is jouw feest niet, Audrey!' beet Mads haar toe. 'Ga maar naar de achtertuin, Adam helpen Boris in bedwang te houden.' Boris, de boxerpup van de familie Markowitz, sprong de hele tijd tegen de gasten op zodat ze onder de modderige pootafdrukken kwamen. Tot dusverre had hij gelukkig alleen tante Georgia en M.C. te pakken gekregen, maar Mads was niet van plan Boris haar feest te laten verpesten, en daarom had ze Adam gesmeekt hem vast te binden.

'Ik wil niet onder de modder komen!' jammerde Audrey.

'Zolang je hier maar ophoepelt,' zei Mads.

'Dit is Britta, Mads,' zei Holly met een knikje naar het andere meisje.

Mads deed haar best een kalme gastvrouwenglimlach te laten zien, ook al liep haar hoofd om. 'Leuk dat je er bent, Britta. Kom maar mee naar de tuin, daar is het feest.'

Lina, Ramona, Walker en Sebastiano waren er al. Ze zaten uit plastic glazen te drinken en beleefd met de Opperheer en oom Skip te praten. Het was vreselijk. Niemand die er wat aan vond op een feest waar je de hele avond met ouders moest praten.

'Zet de muziek wat harder,' adviseerde Holly. 'Dan kunnen je ouders niet horen wat er gezegd wordt.'

'Briljant,' zei Mads. Ze rende naar binnen en draaide het volume verder open. Toen ze de tuin weer in kwam zag ze Stephen op haar staan wachten.

'Hoi,' zei hij. 'Hip huis.' Het huis waar Mads woonde was in de jaren zeventig van cederhout gebouwd, en de meeste kamers bestonden uit verschillende niveaus. Je kon maar moeilijk zien hoeveel verdiepingen er waren.

'Dank je.' Mads wilde eigenlijk zijn hand vastpakken, maar ze bedwong zich. Ze voelde zich wat ongemakkelijk. Sean was er nog niet. Maar als hij kwam… tja, ze wist niet goed hoeveel tijd ze dan nog zou hebben om met Stephen te praten. En verder kwam er eigenlijk niemand die hij goed kende. Ze liep met hem naar de picknicktafel waar Holly, Britta, Ramona en Sebastiano naar Adam zaten te luisteren, die een verhandeling over fotosynthese hield.

Autumn en Rebecca arriveerden met hun gevolg, en Mads zag een paar elfde- en twaalfdeklassers die ze nauwelijks kende. Sean had het blijkbaar aan iedereen verteld. Het duurde niet lang of de achtertuin was vol tortilla etende, alcoholvrije mojito drinkende en boven de muziek uit kletsende jongeren.

Sean kwam met zijn gebruikelijke entourage, bestaande uit Mo, Barton, Jen en Alex. Audrey rende op hem af.

'Jij bent toch Sean? Ik heb al zoveel over je gehoord.'

Mads maakte dat ze erbij kwam om de schade beperkt te houden. 'Hoi, Sean. Audrey, M.C. heeft je nodig.'

'Wie is die minichick?' vroeg Sean met een knikje naar Audrey. Audrey straalde.

'Mijn zusje,' zei Mads. 'Ze ging net weg.'

'Ik ga helemaal niet weg,' zei Audrey. Ze bekeek Alex van onder tot boven. 'Wie ben jij?'

'De boeman.' Alex zette een monstergezicht.

Audrey trok een pruillip. 'Je hoeft me niet als een klein kind te behandelen alleen omdat ik pas elf ben.'

'Oeps. Sor-ry.'

'Audrey...' zei Mads. 'Als jullie zin hebben, kunnen jullie daar iets te drinken pakken.'

Mo, Alex en Jen liepen langs haar heen. De achterhoede werd gevormd door een groot blond meisje met lange benen. Jane, het meisje met wie Sean nu al weken omging. Het was niet erg duidelijk wat hun verhouding was, maar nu greep Sean haar bij haar hand, trok haar naar zich toe en sloeg zijn arm om haar heen.

O. Misschien had ze hem verkeerd begrepen, dacht Mads. Misschien had hij het helemaal niet als date bedoeld toen hij haar meevroeg naar Alex' feest, maar haar alleen als deel van de groep meegevraagd.

Even was ze ontzettend teleurgesteld. Een paar seconden lang kon ze geen vin verroeren. Sean wilde haar niet, nog niet.

Maar toen de teleurstelling wegtrok, besefte ze dat ze eigenlijk ook niet echt had geloofd dat het een date was. Dat had ze alleen maar gehoopt.

Het geeft niet, zei ze tegen zichzelf. Het is toch een stap in de goede richting. Het was echt cool om bij Seans groep te horen, en Mads besloot dat ze daar voorlopig genoegen mee nam.

Ze keek naar Stephen, die aan de andere kant van de tuin met Sebastiano stond te praten. Nu was ze vrij om met hem uit te gaan, en wie weet waar dat toe zou leiden? Dat hielp ook om de teleurstelling te verzachten.

'Je kent Madison toch, hè Jane?' zei Sean. Het was voor het eerst dat hij de moeite nam Mads aan Jane voor te stellen, of zelfs haar 'Madison' te noemen en geen 'ukkie'. 'Zij is dat meisje dat mijn bekroonde portret heeft getekend.'

'Hoi,' zei Jane. 'Gefeliciteerd. Zíj heeft die prijs gewonnen, hoor,' zei ze tegen Sean. 'Jij niet.'

'Ik ben haar model,' zei Sean. 'Dus ik verdien toch ook wel wat van de eer?'

'Jij hebt me tot een nieuw creatief hoogtepunt geïnspireerd,' zei Mads.

'Zie je nou wel?' zei Sean tegen Jane. Ze gaf hem een zoen. Ach ja. De avond verliep niet zoals Mads had verwacht. Maar nu wist Sean wel hoe ze heette. En hij was bij haar thuis. Ze kwam steeds dichter bij haar doel. En intussen had ze iemand anders om haar bezig te houden.

Stephen en Sebastiano stonden tegen de citroenboom geleund ergens om te lachen. Stephen zocht haar blik en keek naar haar toen ze door de menigte heen naar hem toe liep. Hoe dichterbij ze kwam, hoe blijer Mads werd. Ze had hem iets fijns te vertellen.

'Hoi,' zei ze tegen hen beiden.

'Superfeest, Mads,' zei Sebastiano. 'Dat zusje van je is om te gillen. Denk je dat ze 'Oops I Did It Again' wil zingen als ik haar betaal?'

'Dat doet ze vast wel voor niks,' zei Mads.

'Prachtig. Maar ik heb kauwgom, als ze soms omgekocht moet worden. Lust ze Freedent Cool Menthol?' Mads knikte en Sebastiano ging op zoek naar Audrey.

'Wat ik nog vragen wilde,' zei Stephen. 'Wat zei Sean toen hij het portret zag?'

'Hij zei: "Ik heb een prachtlijf",' vertelde Mads.

'Echt waar?' Stephen lachte.

'Eh, Stephen?' zei Mads. Opeens was ze zenuwachtig. Stel je voor dat hij zich bedacht had? Het was al drie uur geleden dat hij had gezegd dat hij haar leuk vond. Er kon van alles veranderen in drie uur.

'Wil je morgenavond met me uit, Stephen?'

'Weet je het zeker?' vroeg hij. Hij keek naar de drom mensen bij de tafel met eten. Mads wist dat hij aan Sean dacht.

'Ja, heel zeker,' zei ze. 'Ik vind het fijn dat je me leuk vindt, want ik vind jou ook leuk.'

'Dan gaan we onze blauwe linten vieren,' zei hij. 'En onze leukheid.'

'Ik vond je meteen al leuk, ook al dacht je dat mijn poezentekening een aap voorstelde,' zei ze.

'Je hebt die dag beloofd me antwoord op een vraag te geven, weet je nog?'

Ze wist het nog. Zijn moeder noemde hem Sint Stephen de Serieuze, en hij wilde weten of die naam bij hem paste.

'Ik zou je geen Sint Stephen noemen,' zei ze. 'Je bent wel serieus, maar ook grappig. Je bent goed, maar ik wed dat je geen heilige bent.'

Ze merkte dat ze zonder te weten hoe het ging dichter bij hem kwam. Ze was zich er niet van bewust dat ze haar voeten verzette. Het leek wel of ze door een onzichtbaar krachtveld naar hem toe werd getrokken.

'Gelijk heb je,' zei hij. 'Heilig ben ik niet. En dat ga ik je nu meteen bewijzen.'

Hij bukte naar haar stralende gezicht en kuste haar. Het werd een kus waar Mads helemaal in opging. Ze vergat dat ze thuis in de tuin stond, waar haar ouders, tante Georgia, oom Skip en iedereen van school het zagen.

Stephen ging weer rechtop staan en keek naar de menigte achter haar. 'Oeps. Is dat je moeder?'

Mads keek om en werd knalrood. M.C. stond stokstijf naar haar te staren met een worteltje halverwege op weg naar haar open mond. Oom Skip knipte met zijn vingers vlak voor M.C.'s gezicht.

'Overleeft ze het wel?' vroeg Stephen.

'Ze komt er wel overheen,' zei Mads.

Stephen pakte haar bij haar hand. 'Kom op,' zei hij. 'Stel me maar eens aan haar voor. Moeders mogen me meestal wel.'

Toen ze hand in hand de tuin door liepen zag Mads mensen naar hen kijken. Lina en Holly keken verbaasd maar blij. Zelfs Sean keek even haar kant op. Hij knikte naar Stephen en zei: 'Goed bekeken, man.'

Lina vond dat ze Ramona maar eens moest gaan redden, die door tante Georgia werd vastgehouden. Georgia ondervroeg Ramona over haar make-uptechniek. Zelf gebruikte ze geen make-up, maar nu ze de vijftig naderde vond ze het tijd ermee te beginnen. 'Ik hou altijd wel van die gekke-damesstijl voor oude vrouwen,' zei ze.

'Ik ook.' Ramona knikte fanatiek. 'Heel veel witte poeder, tot het gezicht een leeg vel papier lijkt. En dan tekent u daar precies zoals u zelf wilt uw trekken op. Van die scherpe zwarte wenkbrauwen en veel lippotlood. Zoals een ster uit een stomme film, of een clown. En blauw haar, diepblauw haar.'

'Precies,' zei Georgia. 'Als ik dan toch oud word kan ik net zo goed een statement maken, vind ik.'

'Absoluut,' vond Ramona ook. 'Zoals die ouder wordende Hollywood-actrices. Die zijn het mooist.'

Lina stond verbijsterd te luisteren. Dit was een gesprek waaraan zij niets kon bijdragen.

Er ging een belletje in de keuken. 'Dat zal de volgende lading tortilla's zijn,' zei Georgia. 'Ik ben zo terug.' Ze liep haastig naar binnen.

'Nog nieuws over Beauregard?' vroeg Ramona.

'Niet veel,' zei Lina. 'De mailtjes beginnen wat minder vaak te komen.' Sinds Larissa Beauregard had verteld dat ze naar India ging, scheen hij terughoudender. Lina kon het hem niet kwalijk nemen. Vooral nadat ze hem had laten zitten, zieke kat of geen zieke kat.

'Heeft hij iets gezegd over een nieuwe baan?' vroeg Ramona.

'Nee.' Dit keer wist Ramona eens iets wat Lina nog niet wist. 'Hoezo?'

'Nou, ik zat gisteren voor de kamer van Alvaredo en toen hoorde ik een secretaresse zeggen dat ze een gerucht had gehoord dat Dan volgend jaar een baan op een andere school was aangeboden.'

Het scheelde niet veel of Lina's hart bleef stilstaan. 'Nee! Waar?'

'Weet ik niet,' zei Ramona.

'Gaat hij verhuizen?'

Ramona haalde haar schouders op. 'Dat zal wel.'

'Dus hij gaat weg?'

'Het is maar een gerucht. Tot nu toe.'

Maar wel een geloofwaardig gerucht. Hij had Larissa duidelijk laten merken dat hij het in zijn baan op RSAOB niet naar zijn zin had. Toch werd Lina erdoor overrompeld. Op de een of andere manier had ze verwacht dat hij altijd in de buurt zou blijven, en voor haar klaar zou staan als ze van school kwam.

'Je weet wat dat betekent, hè?' vroeg Ramona. 'Het is nu of nooit. Als we een van beiden onze kans willen grijpen, moeten we dat nu doen. Voor hij voorgoed ontkomt.'

Voorgoed. Lina kon gewoon niet geloven dat ze net de kans had laten lopen om met hem samen te lunchen. Na dit schooljaar zou ze hem misschien nooit meer zien. Als ze eindelijk oud genoeg was om bij hem te zijn, zou hij haar allang vergeten zijn.

'We moeten iets doen,' zei Ramona. 'Iets wat meer effect heeft dan hem betoveren.'

'Weet ik,' zei Lina. 'Maar wat?'

'Hoor eens,' zei Ramona. 'Dit is een noodsituatie. Geen geheimen meer, beloofd? Wij tweeën moeten van nu af aan samenwerken. Afgesproken?'

Lina zag de emotie op Ramona's gezicht. Van Dan houden bracht een soort eenzaamheid mee. Alsof je in iets geloofde wat niemand anders kon zien. Maar Lina en Ramona hadden elkaar, en dat zou helpen.

'Ja,' antwoordde Lina. 'Wij tweeën samen. Afgesproken.'

'Zie je iemand die je leuk vindt?' vroeg Holly aan Britta. Als ze een jongen voor Britta wilde vinden, moest ze wel weten van wat voor type ze hield.

'Die is leuk,' zei Britta. Ze wees naar Rob. 'Maar het is duidelijk dat hij al bezet is.'

Rob had een T-shirt aan met de tekst OUDE KLEERMAKERS STERVEN NIET – ZE BLIJVEN HERSTELLEN. Holly huiverde. Niet zozeer vanwege dat T-shirt, maar omdat hij met Christie aan de picknicktafel zat en zij hem tortilla voerde. Ze had ook een T-shirt aan. Op het hare stond STEUN JE BEGRAFENISONDERNEMER – VAL DOOD!

Het was erg genoeg dat ze geen moment van elkaar af konden blijven. Gingen ze nu ook nog dezelfde kleding dragen? Holly was bang dat ze zou moeten overgeven.

'Wie is dat sukkeltje?' vroeg Britta.

'Ze heet Christie,' zei Holly. 'Rob gaat met haar.'

'Is dat Rob?' vroeg Britta. 'Jouw Rob?'

Holly knikte.

Britta keek toe hoe Christie Rob weer een hap tortilla voerde. Tussen de happen door gaf ze hem steeds een zoen. Eerst leek hij het wel leuk te vinden, maar bij de vijfde zoen ging hij achteruit en zei: 'Ik heb nog niet eens kans gehad om iets door te slikken, Christie.'

Ha, dacht Holly. Ze moest er weer aan denken dat Rob haar de hele tijd had willen zoenen en hoe dat haar soms had geërgerd.

Christie ging verongelijkt recht zitten, maar toen gaf ze Rob zijn glas aan en sloeg ze kirrend haar armen om hem heen.

'Dit is echt walgelijk,' zei Britta.

'Weet ik,' zei Holly. 'Zo zijn ze voortdurend bezig.'

Rob wilde zijn glas op de picknicktafel neerzetten, maar dat ging niet goed omdat Christie hem zo stevig vasthield. 'Kun je me even loslaten, Christie?' vroeg hij. 'Ik wil mijn glas neerzetten.'

'Je zei geen "alsjeblieft, lieve schat".' Christie zoende hem op zijn oor, en toen op zijn wang.

'Alsjeblieft, lieve schat,' zei Rob. Holly kon horen hoe geïrriteerd hij was. Hmm, dit begon boeiend te worden.

Christie liet hem los. Hij stond op en rekte zich uit. Toen sloeg ze haar arm om hem heen en stak haar hand in zijn kontzak.

'Daar is Laura.' Ze wees naar een van haar vriendinnen. 'Kom, dan gaan we met haar praten.'

'Ik kom zo wel,' zei Rob. 'Even horen waar Walker mee bezig is.'

'Nee,' zei Christie. 'Blijf nou bij mij. Kom nou, Robby-bobby.'

Rob trok haar hand uit zijn zak. 'Je krijgt er heus niks van als je tien minuten met je vriendinnen praat zonder mij erbij. We zitten niet aan elkaar vast gesoldeerd, nog niet.'

Wauw. Kijk die Rob eens, hij kwam voor zichzelf op!

'Hoog tijd dat hij er iets van zei,' vond Britta.

Christie gaapte hem verbaasd aan. 'Mijn vriendinnen hadden gelijk!' piepte ze. 'Je bent niet warm en aanhalig genoeg! Je zou net zo goed van steen kunnen zijn! Je houdt niet van me!'

Ze rende de tuin door naar haar vriendin Laura. Met een verbijsterd gezicht keek Rob haar na.

'Dit is echt idioot,' zei Holly tegen Britta. 'Ik heb het met hem uitgemaakt omdat hij te aanhalig was. Hij wil elke paar minuten zoenen. Toch niet te geloven dat dat haar niet genoeg is!'

Rob schudde zijn hoofd en ging weer op de bank zitten. Toen zag hij Holly. Hij lachte maar wat en zwaaide.

Moet je hem nou zien, dacht ze. Zo'n schatje. Die stomme T-shirts konden haar niets schelen; die hadden niets te maken met de warme jongen die hij vanbinnen was. En hij hóefde ze niet aan, ze zaten niet op zijn borst getatoeëerd of zo. Bovendien zou hij ze binnenkort toch wel eens zat worden.

'Ga maar naar hem toe,' zei Britta. 'Daar zit hij op te wachten.'

Holly was zenuwachtig. Tenslotte had hij de vorige keer dat ze hem sprak gezegd dat hij haar niet terug wilde. En daar was ze kapot van geweest. Maar hij was het wel waard om het nog eens te proberen. Ze liep erheen en ging naast hem aan de picknicktafel zitten.

'Zal ik je eens wat vertellen, Holly?' zei hij. 'Ik geloof dat ik snap hoe jij je voelde toen wij met elkaar gingen. Alsof het een beetje te veel van het goede was, hè?'

'Maar wel van "het goede",' zei ze. 'Afschuwelijk T-shirt trouwens.'

Hij lachte. 'Het is een van mijn lievelingsshirts. Maar ik hoef ze niet de hele tijd aan. Ik begin ze een beetje zat te worden. Christie vindt ze enig.'

'Serieus? Ze lijkt zo'n toonbeeld van goede smaak.'

'Ik heb meer dan genoeg van haar,' zei Rob. 'Hoe lief ik ook tegen haar doe, het is nooit genoeg.'

'Ze is gek,' zei Holly. 'Je bent de liefste, de warmste jongen die ik ken.'

Rob keek haar in haar ogen. Hij gaf nog steeds om haar, dat voelde ze. Hij had altijd al een zwak voor haar ogen gehad.

'Christie eist altijd maar meer,' zei hij. 'Daar had ik bij jou nooit last van. Jij profiteerde nooit van me en je zei altijd precies wat je voelde.'

'Maar ik was te kieskeurig,' zei Holly. 'Al die kleinigheden die me dwars zaten waren zo onbenullig. Waar het me echt om gaat is de echte jij, de jongen die me weet op te beuren als ik verdrietig ben. De jongen die fijne momenten nog veel fijner maakt...'

Ze gaf hem een kus. Hij sloeg zijn armen om haar heen.

'Ik wil mijn Holly terug,' fluisterde hij. 'De Anti-Christie.'

Op dat moment kwam er een schreeuw van de andere kant van de tuin. De mensenmassa week uiteen toen Christie op Rob en Holly af kwam rennen.

'Wat doe jij nou?' krijste Christie. 'Waarom zit je met haar te zoenen?'

'Het spijt me, Christie...' begon Rob.

'Je bent afschuwelijk!' riep Christie. Ze pakte een handvol chips en bekogelde hem daarmee. Dat had niet veel effect, en daarom gaf ze het op en kieperde de hele schaal over zijn hoofd. Toen ging ze er in tranen vandoor.

Holly pakte de schaal van Robs hoofd af en hielp hem de chips af te vegen. Iedereen werd stil.

'Nou,' zei Holly. 'Dat was pijnlijk.'

'Ik wilde haar niet zo overstuur maken,' zei Rob. 'Misschien had ik een aardiger manier moeten bedenken om het met haar uit te maken.'

'Zij begon,' zei Holly. 'Ze beschuldigde jou ervan dat je van steen was.'

Mads en Lina kwamen aanrennen. 'Is alles in orde?' vroeg Mads. 'Wat was er met Christie?'

Rob sloeg zijn arm om Holly heen, en zij leunde met een blij gevoel tegen hem aan. De mensen begonnen weer te praten, de muziek schalde en het feest ging weer gewoon verder.

'Hé,' zei Lina. 'Zijn jullie weer bij elkaar?'

Holly keek naar Rob. 'Ja,' zei hij. 'Het is weer aan.'

'Ja! Rob en Holly zijn weer samen!' juichte Mads.

'Wij vonden steeds al dat jullie bij elkaar hoorden,' zei Lina.

'Het was maar een tijdelijke inzinking,' zei Rob.

'Hé, Mads,' zei Holly. 'Ik bedenk net een onderwerp voor een nieuwe quiz. "Was je feest een hit of een flop?"'

'Klinkt goed,' zei Mads.

'Geef jezelf een punt voor elke keer dat je een vraag met ja beantwoordt,' zei Holly. 'Vraag één: waren de coolste mensen van school er?'

'Ja,' zei Mads.

'Vraag twee: zijn er nieuwe stelletjes gevormd?'

'Ja,' zei Lina. 'Mads en Stephen!'

Mads grinnikte en zwaaide naar Stephen, die door haar vader aan de praat werd gehouden. 'De Opperheer is nu al gek op hem.'

'Vraag drie: hebben de buren geklaagd over het kabaal?' vroeg Holly.

Mads straalde. 'Ja! We hebben al een boos telefoontje van de Zieglers gehad.'

'Vraag vier: is er ruzie gemaakt of gevochten?' vroeg Holly. 'Is er minstens één persoon in tranen vertrokken?'

'Ja en ja,' zei Mads.

'Nou, Mads,' zei Holly, 'zo te merken is je feest een grote hit!'

'En het is nog niet eens afgelopen,' zei Mads. 'Misschien komt de politie nog wel! Daar zou iedereen het nog weken over hebben.'

'Als dat zou kunnen,' zei Holly.

# Lees ook De Clique

De bestseller-serie van MTV-producer Lisi Harrison.

De Clique, een clubje superrijke meiden op een Amerikaanse privé-school in de buurt van New York. Als je niet bij De Clique hoort ben je niets. Tenminste, in de ogen van Alicia, Dylan, Kristen en aanvoerder Massie.

Als de vader van Massie een oude vriend onderdak biedt, blijkt dat zijn dochter Claire totaal het tegenovergestelde is van Massie. Claire heeft alles wat de meiden van De Clique niet hebben: foute schoenen, fout haar en foute vrienden. Erger nog; eigenlijk heeft ze helemaal geen vrienden! Claire doet erg haar best om bij de groep te komen. Maar of dat gaat lukken...

**De Clique... Je komt er bijna niet in. En je ligt er zo weer uit.**

# Lees ook Vermist

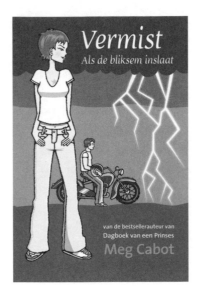 

Van bestsellerauteur Meg Cabot, bekend van *Dagboek van een Prinses*.

Jessica Mastriani zit eigenlijk altijd in de moeilijkheden. Terwijl andere meiden leuke dingen doen, is zij tussen de lessen door vooral bezig met het in elkaar slaan van de sportbinken van de school. Verder moet ze nablijven, veel nablijven. Het toeval wil dat zij dan naast Rob zit, de lekkerste hunk uit de bovenbouw.

Als Jess zich door haar beste vriendin laat overhalen om naar huis te lopen, kan ze niet weten dat een onweersbui haar leven voorgoed zal veranderen. Ze wordt getroffen door de bliksem. Ze overleeft het, als door een wonder. Maar dan ontdekt ze een kracht die in haar is ontketend. Een kracht waarmee ze goed kan doen… en kwaad.

# De Dating Game

Madison, Holly en Lina worden beroemdheden op hun middelbare school wanneer ze een unieke website opzetten, geheel gewijd aan het liefdesleven van de leerlingen. Er worden thema's besproken zoals wie zijn er meer geobsedeerd door seks: jongens of meisjes? Maar het is ook de plaats voor het vinden van een date.

De meiden die de site hebben opgestart beleven zelf ook wilde romantische avonturen. Lina is verliefd op een van de leraren en Madison valt op de knapste jongen van de school. Beiden investeren veel in deze onmogelijke liefdes.

Het runnen van de site en het scoren van goede dates leidt voor de drie vriendinnen tot chaotische toestanden. In *De Dating Game* beland je van de ene in de andere tragikomische situatie.